LOCUS

LOCUS

catch

catch your eyes ; catch your heart ; catch your mind······

catch 168
不丹的幸福配方

作　　　者｜龔詠涵
攝　　　影｜何經泰
責任編輯｜繆沛倫
美術設計｜蔡怡欣
法律顧問｜董安丹律師、顧慕堯律師
出 版 者｜大塊文化出版股份有限公司
地　　　址｜台北市105022南京東路四段25號11樓
網　　　址｜www.locuspublishing.com
讀者服務專線｜0800-006689
TEL｜（02）87123898　　FAX｜（02）87123897
郵撥帳號｜18955675 戶名｜大塊文化出版股份有限公司
版權所有 翻印必究
總 經 銷｜大和書報圖書股份有限公司
地　　　址｜新北市新莊區五工五路二號
TEL｜（02）89902588　　FAX｜（02）22901658

初版一刷｜2010年10月
初版三刷｜2021年7月
ISBN｜978-986-213-198-5
定　　　價｜新台幣380元
Printed in Taiwan

不丹的幸福配方

龔詠涵 著　　何經泰 攝影

目次

以人爲本的幸福

不丹健康部部長 Lyonpo Zangley Dukpa

儘管全球在醫療上有前所未見的資源和良機，但在健康成果上卻紀錄著持續的落差。醫療保健一直未能滿足人們的期待，或許是衛生體系更傾向於應付疾病，而非把焦點放在人的全體上。當代醫療體系大多忽略心理社會與文化組成面向，因此調和傳統與現代化科學的機會付之闕如，未能適當運用。

本書嘗試紀錄不丹在健康與幸福的長期目標上爲調和現代與傳統所作的一切努力，讓我備感欣喜。

國民快樂指數（Gross National Happiness；GNH）正是理解這些內容的背景重點。作爲一項不丹公共政策的策略，快樂指數尋求定位於一種更有意義的發展目標，這種發展視超越物質滿足的實現。整體的、以人爲本的、參與而均衡式的發展（包含某種物質和靈性發展的平衡）則形成此種典範的核心精華。在不丹，衛生體系的架構乃是相嵌在首要的發展哲學裡，不丹王國政府被委任以免費提供基本公衛服務的取得，包括現代和傳統的醫藥。國民衛生體系涵蓋所有大眾層面，其中政府負擔了主要保健項目的財務支出和設施補給。

在這個時代，只要是傳統的東西都一律被屏除在現代場景的對立面，不丹在地的醫藥診療系統提供一種獨特的機會。在歷史上，不丹向來有藥草之地（Lhomenjong）之美名，原因是這個國度盛產不同海拔所出的大量藥草。不丹傳統醫藥系統又有個特別的名稱：gSo-ba-Rig-pa，並在1967年併入主流醫療照護的正式系統之一。從那時候開始，它就被整合在全國保健系統裡，病人對於傳統和現代藥物也有均等的選擇。幸福（wellness）作爲這個國家所要追求的目標，正是透過這個領域而積極地成全。

不丹以基礎衛生（Primary Health Care）方法作爲全國保健體系的關鍵基石，在促進人民的健康狀態上獲得明顯的進展，然而，我國依舊面臨相當多的挑戰。傳染性疾病持續擴散，同時非傳染性疾病已有進展。隨著全國保健支出的增加，全球化與氣候變遷則是其他值得關切的議題。

不丹的挑戰並非唯一特例，全世界的醫療體系都面臨挑戰巨大的挑戰，包括如何控制成本、推動公共衛生，以及提供可得而有效的高品質服務。但更為根本的是全球醫療保健的文化；現有的醫療照護典範等。我們必須重新評估我們關於醫療保健的價值和信仰，並且發展出一套以人為本的健康介入全面性架構；一套調和心靈與身體的介入措施的架構。我們需要發展一套全人與關心的系統，而不僅是累積疾病的統計數據。這是一個至為艱鉅又無從迴避的挑戰，點滴的改善或許並不足夠，我們需要的是一次轉變。

吉祥如意！

FOREWORD

Despite the unprecedented global resources and opportunities in health, persistent gaps in health outcomes have been recorded. Health care continues to fall short of people's expectations. Perhaps, health systems are more oriented towards treating diseases rather than focusing on the person as a whole. The psychosocial and cultural components have been largely ignored by contemporary health systems and the opportunity of blending traditions with modern science has not been adequately harnessed.

I am excited about this attempt to document the Bhutanese endeavor to harmonize modernity and traditions in a long drawn pursuit of health and well being.

Fundamental to this context is the concept of Gross National Happiness (GNH). As a public policy strategy in Bhutan, GNH seeks to address a more meaningful purpose of development that goes beyond the fulfillment of material satisfaction. Holistic, people-centered, participatory and balanced development (including a balance between material and spiritual development) forms the core essence of this paradigm. The framework of health system in Bhutan is embedded in this overarching development philosophy. As a constitutional obligation, the Royal Government is mandated to "provide free access to basic public health services in both modern and traditional medicines". The national health system is overwhelmingly public with Government largely taking care of both financing and provision of health care.

At a time when anything that is traditional is indiscriminately put aside vis-à-vis modern science, the Bhutanese indigenous system of medicinal practice offers a unique opportunity. Bhutan was historically referred to as Lhomenjong or the land of medicinal herbs because of the enormous variety of medicinal herbs that grew richly at different altitudes of the country. The Bhutanese traditional medicine system, also known as gSo-ba-Rig-pa, was formalized into the mainstream health care delivery system in 1967. Since then, it has become an integral part of the national health

system and patients have equal choice over traditional and modern medicine. Promotion of the country as a 'wellness' destination is actively pursued through this domain.

With Primary Health Care approach as the crucial bedrock of the national health system, Bhutan has made dramatic progress in improving the health status of its population. Considerable challenges, however, remain. Communicable diseases continue to prevail while non-communicable diseases have already made inroads. Spiking national health care cost, globalization and climate change are other issues of significant concern.

The challenges are not unique to Bhutan. Health care systems across the globe are facing myriad challenges, including how to control costs, promote public health and provide accessible, efficient and high quality services. What is even more fundamental is the global culture of health care; the existing paradigm of health delivery. We need to re-evaluate our values and beliefs about health care and develop a comprehensive 'people-centered' health intervention framework; a framework that harmonizes mind and body interventions. We need to develop a holistic and compassionate system rather than merely aggregating disease statistics.

This is a formidable yet inescapable challenge. Piecemeal reforms may not be sufficient; it requires a transformation.

Tashi Delek !

Lyonpo Zangley Dukpa

幸福，從來不曾關門！

地球禪者 洪啓嵩

把幸福從日常的生活中淬鍊出來，並透過芳香來薰芳每一個人的心靈，讓所有人成就，至善的喜樂，歡悅的活在幸福的氛圍當中，這是既眞又美的事業。

作者，是一位芳香的魔法師，她所擅長的，不只是對精油與芳香的瞭解與掌握，最主要的，其實是來自她的心靈中，自然散發出的芬芳。

這就如同在《華嚴經》中，覺林菩薩所說的，「心如工畫師，能畫諸世間。五蘊悉從生，無法而不造。」所以，我認爲最微妙的芳香，一定不是來自外在的技巧，而是來自對所有人的歡喜與關愛，只有心的香味，才是永恆的香味，只有慈悲的香味，才能帶來眞正的幸福。

所以，或許我們也可以說：「心如妙香師，能熏諸世間，身心皆染香，法界同蒙馨。」這是我觀察作者從事調製芳馨的精油過程中的體會，也是對詠涵的期許。

作者的心，是特別的，我最讚歎的是，她以特有的柔軟心，去感受不同人的身心需求，而爲每一個人調製出不同精油的神奇能力。

在我眼中看來，其實這些都是提煉生命精華的修行過程。「如心亦如爾，如佛眾生然，應知佛與心，體性皆無盡。」心、佛、眾生三無差別，只是在不同的因緣當中，展現生命的美善。尊重所有生命如佛，用最柔軟的心去體會所有的人，爲大家的身心創造幸福，這或許是作者所期盼的吧！

攝影：Marie-Françoise Plissart

我與詠涵一家人的緣份極深，數十年來，他們與我共同的學習佛法與坐禪，在圓滿生命的道路上，不斷努力增長。1990年，在我發生嚴重車禍，被車拖行近百公尺，住院治療期間，詠涵以她特有的心力，幫助我的身體復原。她認為，在這個過程中，也增長了她對生命與身心的體悟。

她不只樂於分享，而且用 大的行動力來細心照顧他人。她的精油都是數十年從世界各地珍藏而來，然而她一點也不吝惜，對於需要的人，不必等對方開口，她已經靜靜地觀察，細心地為對方配好了特調的精油。

她從小立志成為醫者，現在她在藥師佛的學校，用更溫柔親切的方式，守護眾生的身心，以最純粹的心願來守護眾生身、心健康覺悟。

號稱「藥草王國」的不丹，與藥師佛有著奇特的因緣。這次她親訪不丹，用著最真摯的深心，運用自己奇幻的能力，從不丹為大家萃取了幸福的配方，讓大家同享這美麗的幸福。對於此書的出版，我從深刻的幸福中，感到最的深的歡喜。

在此真誠祝福她，早日圓滿守護眾生的心願，也願有緣看到本書的朋友，都能開啟幸福美好的人生！

幸福是從來不曾關門的。

信心的力量

楊丹仁波切

(堪布鄔金智美翻譯)

作者是我1990年第一次來台灣時就認識的。她第一次來見我時，問我她目前所遭遇的難題，就是每當日光照射在她身上時，就會發癢而痛苦難忍，抓了以後情況更為嚴重，無論搽什麼都沒有幫助，身心受到很大的煎熬，請我為她開示這個難題應該如何解決。

我告訴她：「要去除此生及來生的各種困難，除了必須依止殊勝的正法之外，沒有別的。妳現在應完全確定進入佛門，佛法的根本是對三寶有勝解的信心、完全相信因果、利他的菩提心，這三者就是根本，妳從現在開始，盡己所能的持誦蓮師心咒。若能維持這樣，相信一定會好轉，不要悲傷。」還告訴她一些人身難得、獲得人身是有巨大的意義等等道理。

並說：「妳現在已獲得暇滿人身，應在自己的能力範圍內盡量修行。獲得人身後能做巨大意義的事是最好的，不要浪費此暇滿人身，從此心確定轉向於法，生起利他之心，在此基礎上，身口意要不為名聞利養而行真正的善法。」

「妳還說自己很容易生氣，這樣不好，自己一整天都不快樂，自他的心都不快樂，因此要斷除瞋心，應朝讓自他都感覺快樂的方向努力。一旦產生瞋恨心時要立刻放下，讓心坦然地安住，瞋心的念頭自然消失，顯現自心的本質，此為瞋心轉為大圓鏡智，即為瞋心自解脫的竅訣，請妳盡力的實修。」講完之後，她很高興的離去。

幾年之後，我第二次來台灣時，她也來機場接我。第二天她來見我並且說：「您對我

攝影：張明峰

有很大的恩德，自從您去錫金以後，我因為按照先前的教導去做，身上及內心的痛苦都逐漸消失，現在身心都很快樂。您好像變成我的父母一樣，我也把您當成我真正的父母，感恩您也慈悲地把我當作是您的女兒。我沒有什麼可供養的東西，但是我不會違背三昧耶誓戒，我會朝著佛法穩定地安住，不會退失信心。」還說：「我目前在研究對人體身心有幫助的方法。而我做這些不僅僅是為了自己，也期望能為幫助他人而努力，我要求自己要做到最好，希望這些事情都能圓滿，請仁波切多多加持！」

我回答：「我會為了妳的事情能夠圓滿而祈請三寶，主要還是妳本人要誠心誠意地相信三寶，不要退心，這樣妳的事情一定會順利。」

所以她是我認識很久而且很熟悉的人，她的心與她的人是很不錯的，我從心裡相信她不是一個有私心的人。

之後在我2010年來台灣時，她正寫一本書，邀請我寫一篇序，這本書是她從小到大所遇到種種的困難、沮喪低潮的過程，與結合現在狀況的親身體驗。她所希望的不是為了自己的名聞利養，而是能對與她一樣走過坎坷路的人有所啟發，是以善心來寫這本書。她所設計的產品也是為利益他人而做的品質不錯，我有用過也有觀察過對身心很有幫助。

揚唐祖古根桑晉美 筆

推薦序 ————

不丹幸福繽紛綻放

台灣不丹文化經濟協會
中華山月國際特殊文化交流協會
會長 黃紫婕Grace Huang

不丹，是少數不以GDP（國民生產毛額）為主體，而以GNH（國家幸福經濟指數）做為立國核心的國家。不丹人民的幸福指數，不僅名列世界前茅，更高居亞洲之冠。在資本主義的洪流下，她泰然自若地佇立著。不丹人民的幸福與自信，形成既從容又溫和的力量，撼動人心。

2000年，我第一次踏上不丹的土地，未料從此與這個蓮花生大士留給世人的聖地，結下不解之緣。2000年至今，在多次親訪不丹的歷程中，我更深刻感受到不丹幸福的底蘊，也思惟著如何讓這份幸福能量與台灣交流，共同為世界開啓幸福的願景。

2009年春，為了籌備台灣百年誌慶——不丹傳統的祈福大法會及宗教文化藝術特展，在不丹官方的邀請下出訪不丹，從此與不丹建立了更深切的因緣。而一切也彷彿被一股無形的力量推動著，最後讓我獲得不丹總理的授權，代表不丹國參加2010台北國際花卉博覽會，讓不丹獨特的幸福藥師庭園，有機會具體地呈現在世人眼前。

攝影：何經泰

與大塊文化郝明義先生認識十多年了，他是我十分敬佩的文化出版的前輩，得知這個
不丹花博展館的訊息後，在他創意的發想下，認為將不丹花博庭園的幸福概念，結合
龔詠涵小姐的專業，能夠以更直接的方式，讓台灣的民眾體驗不丹的幸福芳香。

於是請我安排了一趟不丹的芳香之旅，從構想到親至不丹取材、拍攝、編輯，在不丹
農業部、帕洛國家博物館、達金國家動物園等官方各單位的全力協助下，共同催生了
《不丹的幸福配方》，讓台灣的讀者於目睹花博不丹館的風采前，就先嗅觸到了不丹
幸福的芬芳。

本書的作者龔詠涵小姐，一向充滿著善心、熱情與愛心，她祈願透過她獨到的方式，
將不丹幸福的能量、幸福的配方，傳遞給所有的人，讓他們都擁有喜樂光明的生命！
我很感佩於她的願心，深深祝福她所願迅疾成就。

前言

從不丹回來後，

我分析清楚「當醫生」這件事情對我生命上的意義。

醫者父母心，既然同樣是付出這分心，

何必去計較職業欄裏的名稱到底是什麼呢！

我的志願

其實幸福它早就潛伏在我身邊，
只是我沒去發覺它的存在而已。

從小至今我的志願從來沒有變過，就是當一位醫生，一位可以醫好任何問題，又可以讓人不再生病的好醫生。

無奈求學過程非常不順利，幼稚園就遇到時情緒不穩的老師，讓我小小年紀就害怕上學甚至開始逃學；到了小三開學沒多久，老師就去當兵了，結果一去不回，整個三年級都是來來去去的代課老師，我的功課也就從此一去不回頭；進了國中之後，原想英文是新的課程，也是一個重新開始的機會，偏偏遇到一個不對盤的英文老師，每次上課，會遭受她的言語嘲諷，也讓年少的我心靈受到極深的創傷⋯⋯

從小基礎沒打好，成績早就回天乏術，根本不可能由普通高中考上醫學院。而且成績這麼差，我也不敢再說我要當醫生，只敢說我要當醫護人員，但不管是醫生也好、護理人員也罷，總算讓我考上醫事職業學校，在學校中可以

讓我學到我喜愛的專業醫事課程,所以我一直很高興自己能考進醫校的檢驗科。

畢了業以後,家人希望我的工作不要離家太遠,我只好放棄一些可以進大醫院的機會,而進入了離家近的小檢驗所工作。當時我的皮膚對陽光強烈過敏,只要晒到一點太陽,就會開始紅腫,奇癢難耐。在小檢驗所工作,上班就必須跑外務、收檢體,這對不能曬太陽的我來說,簡直是酷刑,身體受不了的情形下,只好被迫離開我的夢想,再也無法跟「醫」字沾上邊了。

一個因緣際會下,我去化妝品廠應徵品管化驗的工作,就這樣一做將近五年。我很喜歡實驗室的工作,還認定自己應該會在這裡做到退休,卻怎麼也

沒有想到有一天會因為美國母公司被併吞牽連到台灣的子公司，而面臨被資遣的命運。當時的主管好心要幫我推薦到原企業的相關單位，但是因為自己的脾氣很硬，常常在公務上得罪高階主管，早就被對方視為應該立刻剷除的眼中釘，在心灰意冷的情形下，只想找一個清靜的地方遠離一切，讓自己好好的療傷。

所以就在姊姊的介紹下，來到一家出版社的門市部上班，在這裡，真的讓我的心找到一處清靜。這段時間的我身心狀況最好，也開始把自己會的技藝跟洪啟嵩老師教我的放鬆法做結合，就在自己覺得幸福已經降臨時，卻發生不幸，所屬的出版社發生了重大變故結束經營，我只能含著眼淚離開，雖然在這裡工作只有兩年，卻是讓我一直念念不忘的地方。

我的人生好不容易看到了曙光，卻又再次讓我跌入谷底，我覺得老天爺對我太不公平，我的運氣為什麼總是那麼差，每次都覺得已經到了人生谷底，應該可以開始回升，但每次又會掉進更深的谷底，我真的覺得我的人生是一個黑暗的無底洞，幸福快樂根本不屬於我，而我也無法擁有它，這次失業後，真的不知道自己再來要做些什麼，自己還能做些什麼。

當年很流行麵包花，早在我小六的時候，我那才藝雙全的大舅媽就教了我很多麵包花及手工藝的技巧，我每次看到有人在教學，就會覺得這些工具其實都可以使用替代品，根本不用花那麼多的錢買，如果學手工藝可以不要花那麼多錢，應該會有更多人想學。我純粹是以學員的立場在想這件事，沒想到

光憑一股衝動，從此展開了我的教學生涯。

才藝課程一教，十年過去了。後來在一次意外中，我的右手三根手指被機器輾爆，在醫生細心的搶救下，右手恢復得很好，只是做花的靈巧度大不如前，對我來說這是撿回來的幸運。

就在那時候，保養品DIY剛開始流行，當時我的心中很憂慮，因為我知道若沒有專業知識當基礎，消費者自己在家胡亂調配，早晚會出問題。有些學生知道我是醫檢科畢業，又在化妝品廠待過，所以都會介紹這些未蒙其利先受其害的朋友來找我，可是我發現一個一個教實在太慢，我應該走在前面做呼籲與防止的動作才對。

但一個默默無聞的人，要如何來呼籲大家要有正確的觀念呢？我要如何對一般人做再教育的工作呢？就在學生的一句：「老師你為什麼不出來教？」讓我決定放下手工藝教學，跳出來教保養品DIY，我覺得不入虎穴焉得虎子，所以我常戲稱自己是教人家「不要保養品DIY」的保養品DIY老師。

很多企業藉由觀光工廠的概念，讓一般人對這個產業更加了解，所以我也是以化妝品觀光工廠的概念來經營班級，我想課程名稱及內容一定要能吸引到DIY族群才有用，簡單的實習課程先滿足他們的好奇心，再針對每種產品的成分解說讓他們從「了解原物料與工廠製作流程」到「化妝品學的基礎原理」與「研發及品管部門在做什麼」，最後再針對「保養品DIY該有的正確觀念及危險性」，用淺顯易懂的方式教學來揭開化妝品製作的神祕面紗，也

讓學員有更正確的觀念，我發現學生都好喜歡聽，沒錯！教學是觀念灌輸最快的方法，學生會坐在教室乖乖的聽課，把學員們的觀念教對了，他們才有能力再去影響周圍認識的人。

從事教學工作即將邁入廿年，以前有一段時間我一直在問我自己，為什麼我會那麼喜歡教學的工作？後來我釐清了一些事，我知道我想要當一個懂得因材施教、有教無類的好老師，這緣起於求學時期受到的創傷，因此我知道，自己如果可以做一位好老師，不但可以撫平自己求學時的心靈創傷，又能幫助學員們提昇心靈層面與獲得更多有益的資訊。

現在我的工作依然還是以教學為主，但是更多元了，雖然我更喜歡目前的工作，但心中總是帶著淡淡的感傷——當不了醫生一直是我生命中的缺憾。

從不丹回來後，我分析清楚「當醫生」這件事情對我生命上的意義，同樣是幫助人，一位好老師可以醫好人心，一種好功法可防患未然，一個好的香氛對身心放鬆都有很大的幫助。醫者父母心，既然同樣是付出這分心，何必去計較職業欄裏的名稱到底是什麼呢！

如此一想，才發現幸福早就潛伏在我身邊，只是我沒去發覺它的存在而已。

PART 1
從台北飛向幸福的國度

我一直很喜歡旅行，尤其是飛機離地的那一刻，

整個人的心也跟著飛揚起來。

這次去不丹，我要用渡假的心情，把不丹的快樂帶回台灣。

乘著飛龍
來到雷龍之鄉──不丹

· 台北出發至曼谷，過境一晚
· 從曼谷轉機中途停靠印度加雅機場，再到不丹帕羅機場
· 因不丹機場大雨，在中途停靠的印度加雅機場過境休息
· 帕羅機場坐車到首都廷布

龍是從古至今最神祕的吉祥物，也是最讓我著迷的神話動物。我很榮幸生長在龔家，「龔」字有個「龍」，恰巧我的生肖又屬龍，所以從小我就一直感覺自己跟龍很有緣，小時候甚至覺得自己上輩子可能是隻小龍女。

傳說中龍可以騰雲駕霧，可能是我太嚮往可以在天上飛，所以超愛坐飛機，每次坐飛機望著窗外藍天時總是幻想著，希望有朝一日能夠見到飛龍在天際翱翔的樣子，每次搭機老是覺得都還沒坐過癮，目的地就到了，所以一般人最害怕的長途飛行，卻是我在旅途中覺得最享受的事。

這次的旅行我們先在泰國曼谷機場轉機，在曼谷機場的過境旅館睡了幾個小時，天才剛亮我們就起床，搭著接駁巴士到停機坪上機，遠遠我們就看到不丹皇家航空尾翼上的標誌——一面以雷龍爲圖騰的不丹國旗。當我由後機門走上飛機，抬頭看著這條雷龍標誌，突然眼睛一亮，心中豁然開朗，全身細胞都跟著歡呼了起來，「乘著飛龍遨遊於天際」，這不就是我一直以來的夢想嗎？這一路將由雷龍領著我們來到他的家鄉不丹，我覺得這是一個很特別的因緣。

懷著興奮的心情走進機艙，一陣清新撲鼻的香味迎面而來，原來機艙裡面飄散著檸檬香茅的香氣，這股香味讓我整個人都跟著清爽了起來，檸檬香茅是不丹的特產，還沒到不丹就先感受到它驚人的魅力，雖然坐在密閉的機艙裡，但在清新的香氛中，望著窗外的景象，卻讓人有種迎風飛翔的感覺，此時腦海裡不斷的跳出一些精油的配方，拿著紙筆趕快記了下來，閉上眼睛沉

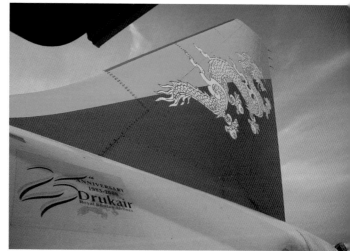

思著，這個配方該取什麼名字呢？眼前浮現雷龍的圖騰……「與龍翱翔」，就是你囉！

剛到不丹最明顯的感受就是，稍微走快一點心臟有如打鼓般，「通！通！通」跳得好厲害，走個樓梯到二樓就氣喘如牛，心想才剛到這個國家就這樣，過幾天還要參訪來回超過一千個階梯的虎穴寺，到時候不就真的要用「爬」的？愈想心愈慌，心一亂，全身肌肉也跟著緊繃起來，呼吸就更不順暢。內心告訴自己必須先讓心靜下才行，趕快拿出隨身帶的檜木精油跟隊友分享，自己也邊數呼吸邊嗅吸，再放慢所有的動作讓身體適應新環境，此時隊友們發現在異鄉使用檜木精油的感覺真好，呼吸順暢多了，心情也更安穩，同房隊友的症狀似乎比我強烈，應該要為她調瓶幫助適應環境的按摩油才是。

隔天清晨打坐後心裡浮現精油配方，調好請同房隊友試用，在一路受到精油的照顧下，我們倆最後終於順利的「走」（而不是「爬」）完虎穴寺，真的是要感謝佛菩薩保佑，讓我在高海拔腦部缺氧的情況下還能順利調配精油。

回到台灣後很多人都問我，沒有污染的不丹空氣一定很清新吧？
空氣清新那是當然的，不過，不丹因為地處高海拔氣壓與氧氣濃度與平地不同，對肺部與心臟可是一大考驗，回台灣後發現身體經過高海拔的洗禮後，肺活量變好了，爬樓梯也變得輕鬆多了。
但是身處平地的我在整理這篇文章時，當思緒掉進當時的情景，身體馬上起

變化──心跳加速、呼吸不順、胸悶，當下趕快告訴身體這一切都是幻境，
沒事……沒事……一切都沒事……。慢慢的，心鬆了、氣順了、脈也柔了。

我相信思想是有力量的，當心的力量大過於環境時，他會讓你的身體判斷錯
誤，誤以為還身處高海拔，善用心的力量，讓自己即使處在惡劣環境中也猶
如在佛國淨土。

不丹的幸福配方之一

 精 油

與龍翱翔複方精油

在內心深處灑下一片金色陽光，讓全身有如漫步在充滿陽光的森林花園中，每個呼吸都能吸入光明，吐出濁氣，釋放內心壓抑已久的束縛，讓負面的思想自動脫落。

配方

★不丹檸檬香茅4滴

檸檬香茅：放大心靈空間追尋安心自在，勇於面對自己的內心。

★保加利亞玫瑰3滴

玫瑰：展現自信，自然流露出屬於自己的光芒。

★法國薰衣草2滴

薰衣草：撫慰心靈產生安定感，激發自我療癒的本能。

★廣藿香1滴

廣藿香：讓身心自我協調，讓每個細胞都開始微笑。

使用方式

1. 複方精油直接裝在精油項鍊瓶中佩戴或滴1滴在手帕上，做氣場維護及掃除心中陰霾的「陽光心輪」嗅吸觀想法（請見第192頁）。
2. 複方精油1滴+基礎油5cc，調成滾珠瓶裝，精油濃度約1%的按摩油，方便隨身做釋放心中快樂能量的「心輪開脈」按摩法（請見第193頁）。

可幫助舒緩的症狀

· 長途旅行的勞累、時差帶來的昏沉。
· 搭機恐懼症、密閉空間引起的煩悶與不安。

‧掙脫不開的壓力與束縛、灰暗沉悶的心情。

貼心提醒

基礎油可挑選現有或適合自己的,例如:橄欖油、甜杏仁油、荷荷芭油……等等。
按摩油中不貪高濃度精油劑量,因為精油是植物的濃縮菁華,需要很多植物才能萃
取到一滴精油,這樣對需要長期使用的人才能保護皮膚也保障荷包。
書上的配方為基底配方,可依個人身心狀況再調入其他精油變成個人專屬配方,如
須長期使用,請在連續使用一個月時休息兩到三週後再開始使用。

不丹的幸福配方之二

精油 # 森呼吸複方精油

讓芬多精的氣息融化那塊壓在胸口的石頭，安撫那顆不安的心，讓呼吸順暢讓心跳規律，讓自己猶如森林巨人，面對惡劣的環境，不但屹立不搖，還能蘊藏驚人的能量，在香氛中重新啟動身體機能，勇敢面對難關。

配方

★台灣檜木2滴

台灣檜木：維護氣場，與自己原生土地作連結，使用本土能量最強的植物，有如父母般的愛守護著子女。

★岩蘭草2滴

岩蘭草：穩定心靈，喚醒內心，賦予心靈歸屬感，強化氣場。

★香蜂草1滴

香蜂草：解除心中壓力，去除胸口鬱悶感。

★喜馬拉雅山雪松1滴

喜馬拉雅雪松：調節呼吸，與旅遊當地的土地作連結，使用當地能量最強的植物，有如長輩般照顧著外出遊子。

使用方式

1. 複方精油直接裝在精油項鍊瓶中佩戴或滴1滴在手帕上，做氣場維護及肺部放鬆觀想及讓全身細胞一起深呼吸的「光明呼吸」嗅吸觀想法（請見第195頁）。

2. 複方精油2滴+基礎油10cc，調成滾珠瓶裝，精油濃度約1%的按摩油，方便隨身做幫助肺泡呼吸的「呼吸順暢」按摩法（請見第196頁）。

3. 在4湯匙的食鹽中加入4滴「森呼吸」純精油攪拌均勻放入浴缸中泡澡，能幫助淨化肺部。

可幫助舒緩的症狀

· 幫助適應高海拔、舒緩情緒、胸口鬱悶、精疲力盡、意志薄弱、擔憂恐懼。而且
　有維護氣場的功能。

貼心提醒

遇到高山症最好的方式就是立刻下降高度，症狀如果沒有改善，請立刻就醫，因為
嚴重的高山症會引發肺水腫與腦水腫，請勿掉以輕心。除此之外，有些高山症的反
應例如頭痛、煩躁不安、失眠多夢、胸悶心慌、全身軟弱無力、心跳加快等等，跟
現代人因情緒壓力引起的症狀相似，所以如果是現代人的「情緒高山症」，可以試
著使用「森呼吸複方精油」來調整心情。其他注意事項請見第41頁。

首長大人
Your Excellency

· 晉見部會首長
· 拜訪Bio Bhutan公司
· 拜訪農林部部長
· 在旅館與總理公子會面

我們這次的團隊是以官方貴賓的身分受邀到訪的，晉見各部會的首長可說是重頭戲，一切馬虎不得，團長黃紫婕會長和我都穿上不丹傳統服飾旗拉（Kira），不丹的女性服飾看似簡單，對我們來說卻是機關重重，所以我們請了兩位飯店的女服務員來幫我穿衣服，雖然有一種當皇后娘娘的感覺，但還是覺得自己穿衣服比較自在。

再來要練習的就是見面的問候語，在高海拔缺氧情形下，要背一句饒舌的問候語「Your Excellency」，竟然念過就忘，從昨天起就不時聽到這樣的對話：「趕快再念一下Your什麼來著？」當然啦！我就是常常在問的那一個，其實高海拔是藉口，英文不好才是事實，這個時候真應該來配一個幫助開發腦部記憶的精油。

本頁圖為總理辦公室正門口廣場。

我們所拜會的官方貴賓，都非常的和藹可親，雖然一開始聽不懂英文的我無法了解他們所說的每句話時，內心有點焦慮不安，但是當放鬆自己靜下心來，用心去傾聽他們內心的聲音，讓心與心自己去做交流，從心去了解他們所要傳遞的訊息時，我反而被他們的談話深深吸引著，也感受到他們對國家、人民與土地的那分愛與責任。

這次我們在不丹拜會了很多政府單位，發現不丹的官員都頂著各國留學的高學歷，都是頂尖的菁英，他們學成後選擇回國為自己的土地人民貢獻出一份心力，不但自己沒有被花花世界所污染，反而更致力於保護國家不被花花世界污染，他們沒有把經費花在裝修自己的辦公室上，即使單位很大，官員們的辦公室一樣非常儉樸，絲毫沒有官僚氣息。讓人刮目相看的是他們的心，而非華麗的外表。貪婪在這裡是察覺不到的。

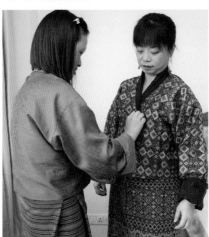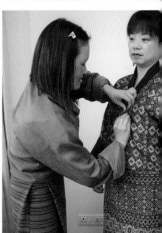

這點更在回程的飛機上得到證實，我們遇到了來自馬來西亞的登山遊客，他們想付一些錢給深山中的一座老舊寺廟，希望能拍些照片，但是住持告訴他們：「這不是錢的問題。」在山高皇帝遠的情形下，理念可以執行得如此徹底，真令人讚歎這個國家想不強也難。

不丹在所有重要古蹟及廟宇的內部是不准照相的，除了可以保護古蹟不受鎂光燈的傷害，最主要是他們不希望有人看到這些相片後而起了貪念。這個想法來自於佛法的演繹，而且他們執行得很徹底。我們這一路上雖然看了很多一般觀光客無法參觀的地方，但一樣不能拍照。

說到自己的英文不好，讓我想起我的天才姊姊，她大學聯考時數學考滿分，英文卻考了零分，但是她憑著自己的毅力，讓自己在很短的時間內成為一位優秀的英文老師，很多外國人聽她講一口純正流利的英文，都不敢相信她是在台灣土生土長的，她認為不同的語言是分別儲存在腦部的不同位置，翻譯式的教學只會讓腦部運作變慢無法真正學好英文，所以創立了「NO Chinese」全美語式的教學法，她的學生到國外就讀時，不必再讀語言學校，就可以直接銜接學校課程。

所謂的「NO Chinese」式的美語學習模式就是將英語變成自己的語言之一。人們在說不同語言時，是使用大腦中不同的部位，當我們在學習不同的語言時，腦部會有一個語言區形成，一個小孩子若同時學習兩種或兩種以上的語言，在他的腦部被開發的區域，會比接受單一語言的小孩大。但是在學習新語言時，如果是以中文為基礎，用翻譯的方式學習，這樣就只會增強中文部分的腦區，腦內並不會形成新語言區，只是以一種「字串」的方式，將新語言附加在原母語後面。當需要跟人以英文交談時，常會來不及聽，那是因為當我們聽到一個字或一句英語時，要先到中文語區去尋找這些字串，將其翻譯成中文，然後再將我們想講的話，先在中文語區裡尋找字串，再翻譯成英語，這樣一來一回很容易因為中文字庫的干擾，無法在第一時間講出真正想表達的意思，並且會有辭不達意的情況出現。就像假設你的國台語都很流利，但每當你要說一句台語時，卻都先用國語翻譯成台語，也就是完全用講國語的方式來思考，您就能體會字串帶來的干擾了。

英文不好一直是我心中的痛，但我總是把矛頭指向國中上英文課時所受的種種委屈，害我一直有陰影，因而無法學好英文。

從不丹回來後，我終於真正的去面對這個問題，姊姊知道該怎麼救她自己，也真正去執行，而我只停留在傷痛中自艾自憐，根本不想自救，也沒興趣救自己，當然就更不可能去認真執行。我從小的志願就想要當醫生幫助人，但

不丹帥氣又親切的駙馬。

是我從來不曾好好的善待自己、照顧自己、幫助自己,從不丹回來後我一直在想,如果我連自己都照顧不好,我要如何去照顧別人?經過這番省思,相信這次我會認真的把英文學好,把這件事情當作幫助自己的第一課。

不丹不但是個森林王國,更是個草藥王國,這裡擁有非常多的藥草植物,連總理的兒子也在研究精油。除了與相關的機構與部門會面之外,本次也有幸和總理的公子會面。

總理的公子跟我們約好當天傍晚來訪,透過領隊的介紹才知道,原來總理的兒子也就是不丹的駙馬爺。

不丹人民對皇室成員都非常的崇拜與著迷，當飯店的服務員見到駙馬來訪，高興得跟小孩子一樣，在櫃台後面跳個不停，並且還打電話告訴朋友：「你知道誰來了嗎？」高興得就像台灣的追星族見到了大明星一樣。

駙馬的個子很高，笑容甜美且非常英俊，他很客氣的說他才剛開始研究精油，還在學習中，並且很大方跟我們聊到這幾年他與國外大廠談合作精油產品時面臨的困境，基於對環境保護與避免過度工業化的共識，我們聊得非常盡興，我希望我所提供的資訊與技術，有助於提升與推動不丹的在地產業，且能讓不丹與台灣做在地聯結，讓兩邊在不破壞環境的前提下，能夠互惠的提升彼此的產業，更高興的是，在把不丹的幸福快樂帶回到台灣的同時，也能把我提供的技術與理念留給不丹。

我將台灣最好的檜木精油以及我的工作團隊設計的日常保養品，還有我自己設計的保養肝臟的按摩油送給駙馬，他對我的產品及設計理念非常喜歡，當場我也教好奇的駙馬爺獨門的「幸福調香秘訣」，讓他用茉莉花親手為心愛的公主調配個人專屬的「愛神香氛膏」。

從2000年開始，我就試著用茉莉花來製作香膏，在這些年的教學經驗中，由茉莉花所製作的「愛神香氛膏」發生許多趣事⋯⋯

很多年前，有位學生用了香膏後跟班上同學分享她的使用心得：「我很喜

歡茉莉的清香，睡覺時塗在耳後會聞到一陣陣花香，整個人會在幸福中睡著。」過了一陣子，她更眉飛色舞的跟我們分享：「我老公最近常盯著我看，然後跟我說，『最近愈看你愈可愛』，都老夫老妻了還來這套！」又過沒多久，有一天上課時她一進教室就急著問我：「老師，那個香膏是做什麼用的？」

「當香水用啊！」

「不是啦！我的意思是說，裡面的茉莉它到底有什麼功效？」

「茉莉哦？它可以讓人放鬆心情，而且茉莉的放鬆，是心裡會有甜甜的幸福感，就像在談戀愛的感覺。」

因為我一直沒講到她想要聽的重點，於是她神色緊張繼續問：「還有其他的作用嗎？我是指對身體有什麼作用呢？」

我很擔心以為她發生皮膚過敏，還是什麼負面狀況，連忙問：「你可以告訴我到底發生什麼狀況嗎？我好幫你解答。」

此時只見她一臉幸福洋溢又帶點嬌羞的說道：「你知道嗎？我老公現在每天都來騷擾我，我都快被他煩死了，真的——好討厭喔！」

當她用燦爛的笑容說到「好討厭」時，全班早就笑成一團，吱吱喳喳的討論起來。我只能很鎮定的繼續解說：「 在精油中玫瑰是花中之后，茉莉是花中之王，茉莉的香味會讓人充滿青春活力、擁有自信、增強能量，同時也有催情的作用，可改善性冷感，妳每天都擦著睡覺，對方也會聞到一陣陣迷人

在不丹，每天早上醒來，趁著天光還沒亮，行程尚未開始，我會在房間裡頭進行當日的香氛實驗。

的花香味，多少都會起作用的……」

從此之後，每當有人抱怨家中先生不夠體貼時，班上同學就會介紹她們用此款香膏。「來來來這個深宮怨婦膏很適合你，就算治不了先生，最起碼也能讓自己心情愉快！」那時候正流行「深宮怨婦」這個名詞，茉莉香膏就被班上同學戲稱為「深宮怨婦膏」。

但是茉莉香膏的故事由此才慢慢的展開……

當天晚上下課後還沒到家，就接到一位新同學的電話，因為是新同學，所以我對她還不了解，這位同學跟我聊了好一會，直覺她有事要問，可是一直在別的事情上打轉。當話都聊完時，我問她：「還有什麼問題嗎？」她停頓了一下，才語帶羞澀的問我：「今天同學在說的那個香膏是什麼呀？」

哦！原來是想要茉莉香膏，卻又不好意思直說。我又為她重新介紹了一下香膏的成分及作用，她突然開口說：「我先生長年在國外……」就又停住了。這下換我緊張了，心想，她先生長年人在國外，那她要香膏做什麼？要是害人家用錯地方怎麼辦……才幾秒鐘的時間，滿腦子浮現了一堆的問題。此時她才又開口小聲的說道：「他過兩天要回來。」

原來如此！這麼用心經營婚姻的老婆，當然要急件處理囉！「沒問題我明天就幫你把香膏準備好！」

但是請讀者千萬不要誤會，這個茉莉香膏可不是什麼春藥，如果聞到有人搽這樣的香味更別想歪，以為對方有什麼企圖，茉莉花香的效用並沒有那麼狹隘。我曾經幫我媽媽以茉莉花為主調，再加上屬於個人身體狀況需要及個性特質需求的香味，調製了一瓶個人專屬香氛按摩油，用一陣子後她就告訴我：「我們在老人大學的同學，有些人的個性原本就不太愛理人的，但是現在每一個人都對我跟你爸爸好好喔！大家都變得好親近好熱情，每次去上課都好快樂。」

茉莉花本身就是帶著快樂的正面能量，再加上所有用過的人肯定它所帶來的幸福力量，所以會讓搽上茉莉香膏的人，沉浸於幸福快樂的能量中，當使用者散發出快樂的能量時，周圍的人很快的也會被感染，大家都會喜歡跟快樂的人在一起，人緣自然愈來愈好，所以後來我的學生開始叫這款茉莉香膏為「迷死人香膏」。

前些時候我在開會時，跟大塊文化的董事長郝明義先生，以及時尚大師黃薇小姐分享茉莉香膏的魅力，他們認為茉莉花膏的力量讓他們直覺想到愛神的力量，應該取名為「愛神香氛膏」，他們更希望有一天也能讓更多的人享受到這種正面快樂的魅力，我也希望這個願望會實現。

不丹的幸福配方之三

精油 **全腦覺醒複方精油**

讓香氛沿著嗅覺來到腦部，想像重新啟動最完美的腦部機能，讓香氛喚醒頭部的每個區域，讓每個區域就像按下電燈開關般亮了起來，再將頭腦中的資料重組，清除對身心沒有幫助的資訊，記憶庫被亂放的資料重新被建檔歸類，方便搜尋。

配方

★迷迭香4滴

　　迷迭香：清除腦中對身心沒有幫助的混亂資訊。

★檸檬3滴

　　檸檬：香味讓人覺得腦部清新，幫助提高工作效率。

★羅勒1滴

　　羅勒：強化心的力量，讓頭腦清晰，避免用腦過度引起之疲勞。

★芫荽1滴

　　芫荽：淨化身體、清除不好的物質、增進記憶力。

★花梨木1滴

　　花梨木：提神利腦，幫助振奮與平衡精神。

使用方式

1.複方精油直接裝在精油項鍊瓶中佩戴或滴在手帕上，做幫助腦細胞與宇宙能量做超連結的「全腦開發」嗅吸觀想法與頭部放鬆觀想法（請見第198頁）。

rosemary © geishaboy500

2.複方精油1滴+基礎油10cc，調成精油濃度約0.5%的按摩油，用滾珠瓶裝可隨身做
　喚醒腦細胞的「腦部拉開放下」按摩法（請見第199頁）。

可幫助舒緩的症狀

・舒緩注意力不集中、思緒紊亂等現象。
・提升工作效率、讓頭部放鬆。

貼心提醒

注意事項請見第41頁。

幸福之鹽，幸福之緣

· 參觀拜會Royal Botanical Garden
· 拜訪Centre For Bhutan Studies(GNH)部門
· 拜訪傳統醫藥中心
· 下午再度拜訪Royal Botanical Garden 辦公處及標本室並參觀花園
· 拜訪桑給多傑仁波切的家

今天在首都廷布拜會了不丹知名的國民快樂指數部門（GNH）的智庫、國家植物花卉公園的處長，又參觀了不丹的國家傳統醫藥中心，讓我更深刻的了解到不丹的每一個公部門在有限的經費下，如何努力去貢獻出自己的專長給國家，他們的眼裡充滿著希望，聽不到半句的怨言，他們都以不丹為榮。

晚上應邀到桑給多傑仁波切外甥女的家中晚餐，在這裡吃到了很特別的傳統迎賓飯、鹹奶茶，還有他們自釀的酒。晚餐的菜是他們自己種的，米飯是昨天才剛收成的稻米所煮的，桑給多傑仁波切說雖然這不是什麼盛宴，但他視我們為家人，歡迎我們參加他的家庭晚餐，這餐飯吃得非常溫馨，很有家的感覺，回台灣之後每次回想起，心中都會泛起甜甜的幸福感。

這棟建築物蓋在景觀很美的山上，這裡有很好的視野，坐在客廳裡從正前方

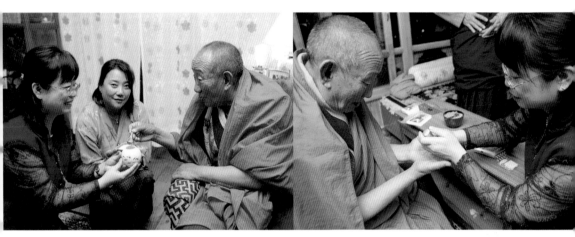

左為桑給多傑仁波切親手為我們的鹽罐加鹽，右為桑給多傑仁波切試用我幫他調配的特調精油。

的大窗戶望出去就是市區夜景，女主人特地帶我們去參觀主臥室，它位在客
廳正上方的二樓，所以有著一樣的美景，在臥室中女主人刻意把燈關掉，隨
之而起的是所有的人有志一同的驚呼聲：「哇啊！」接著就是此起彼落的：
「好美唷！」「好幸福喔！」因為躺在床上放眼望去就是迷人的夜景，疲憊
的身心在此時早就被心曠神怡的感覺取代了。

女主人在介紹她的家及家人時，從談話的眼神中流露出的是滿滿藏不住的幸
福感，這種只有在戀愛中才看得到的表情，能在結婚二十幾年的女主人身上
看到真令人羨慕，這麼幸福的家庭，我一定要收集到他們的祝福，並且把這
些祝福帶回台灣。

這次我特地由台灣帶了一個「幸福之緣」的鹽罐到不丹一起旅行，鹽罐裡裝

桑給多傑仁波切的家。

著各式各樣我這幾年收集到的鹽，有台灣的鹽、印度的鹽、美國的鹽、喜馬拉雅山的鹽⋯⋯我希望把這次旅行中所收集到的幸福之鹽／緣及幸福祝福帶回台灣跟大家分享，所以我跟女主人要了他們家的幸福鹽巴，因為我相信女主人每天在廚房為家人準備餐點時，心中必定是充滿著無限的關愛，女主人去取鹽巴時，我請桑給多傑仁波切為我們將他的祝福加入這個祈福鹽罐中。

桑給多傑仁波切說：「鹽是不丹每個食品都會加到的東西，它是生活上很重要的必需品。」我也告訴桑給多傑仁波切：「鹽跟緣念起來音很相近，所以這次的旅行中，我用鹽來收集幸福與祝福。」

我喜歡鹽，因為好鹽是非常美味可口的，我喜歡品嘗與收集不同地區所產的鹽。我喜歡鹽，因為身體需要它，但它很特別，吃多不行，不吃也不行，讓人對它無法貪心。我喜歡鹽，所以帶著鹽／緣罐一路收集幸福的祝福，再把這份祝福帶回台灣，更希望再由台灣將幸福推向全世界。

桑給多傑仁波切聽完鹽罐的緣起後，很高興的為這個幸福鹽罐祈福與加持，當仁波切在唱誦加持經文時，我被一股非常強大但卻非常溫柔的力量所包圍著，這股能量充滿著源源不絕的愛，沒有種族、宗教之分，沒有貧富、美醜之別，一份單純又無私的大愛，讓我感動到眼淚直流說不出話來，心中只有感謝！感謝！再感謝！

不知道有多久，每次我回想起以前，老是會想些傷心挫折的事，就是想不起什麼有趣的事，可是在不丹這一路上讓我想起了很多被遺忘很久的小時候的趣事。

印象中潛進廚房偷吃東西，在小時候是件非常刺激與冒險的事。有一回姊弟三人一起溜進廚房，各自找尋心中的最愛，當每人手中各自抓了一把自己心裡想要的東西時，被爸爸逮個正著──

爸爸檢查姊姊和弟弟的手裡時，笑著說：「你們在偷吃糖喔！」然後父親笑笑的讓他們慢慢吃完手中的白砂糖。

可是我卻依舊緊握著拳頭不放，父親很好奇我手裡到底握著什麼。但我很堅持，說不打開就不打開，就是不讓他看手裡的東西。因為我很小的時候有偷吃藥的不良紀錄，為了安全起見，爸爸只好動手扳開我的手掌，他原以為是糖，可是接著他「咦」了一聲，用很懷疑的眼神看著小手上那撮白色的東西，然後伸手沾了一下放入嘴巴，只聽見「哎喲」一聲，爸爸高聲呼喊著媽媽：「你快來呀！這個孩子在偷吃鹽！」

爸媽怕我吃太鹹對腎臟不好，總是常常告誡我「不可以吃那麼鹹」、「不可以偷吃鹽」……卻無法理解我那種望著鹽流口水的感覺。小時候我最喜歡過年時桌上那一盤鹹鹹的瓜子，那可是比紅包還要來得誘人。雖然吃瓜子的技術不好，但是瓜子殼，我可是一定要含到沒味道才肯吐出來，可惜一年不過那幾天才吃瓜子，總要想點辦法才行……

為了嚐到鹽的美味，我常常佯稱牙齦有小膿包，這樣媽媽就會給我一小撮鹽來搓搓牙齦，小心翼翼捧著手心裡一丁點的鹽，用手指沾著放入口中吸吮著──哇啊！那種幸福的感覺真好！

不丹的幸福配方之四

沐浴鹽 # 玫瑰花瓣沐浴蜜鹽

暫時忘掉所有會起泡泡的沐浴用品吧！有空讓自己試試看沒有泡泡的花瓣沐浴蜜鹽魅力，您會驚覺經過蜜鹽的洗禮後肌膚竟然呈現如此的柔細滑嫩。

配方

★玫瑰花瓣

新鮮或經過低溫乾燥的玫瑰花瓣，用剪刀剪碎。

★細鹽粉

沒有細鹽粉的話，可用一般的鹽以研磨機磨碎。

★精油

可依身體狀況使用書中介紹的複方精油，用量為按摩沐浴3滴，泡澡6滴以內。

★蜂蜜

台灣的蜂蜜品質是一流的，只要選擇優良養蜂場的純正蜂蜜就可。出國旅行時嚐嚐當地產的蜂蜜也不錯。這次在不丹，當然也品嚐了不丹的蜂蜜。不丹產的蜂蜜外觀上比較不透明，口感上帶點粉粉的花粉味，他們也產結晶蜜，到不丹旅行時記得要嚐嚐看當地的蜂蜜，他們不做假蜜，所以也不用擔心買到不純的蜜。

製作方法

1. 3湯匙細鹽粉+喜愛的精油3滴+1湯匙碎花瓣+4湯匙蜂蜜攪拌均勻。

2. 希望花瓣顆粒細一點，可以將鹽及玫瑰花混合，先用磨豆機磨碎再製作。

3. 玫瑰可改用其他花瓣來取代，但必須先確認此植物是可以用在皮膚上，並不會造成過敏的花瓣才行。

4. 用此方法洗澡時不需再用任何清潔用品。

5. 如果長期用到花瓣泡澡，最好使用紗袋填裝。這樣洗過之後浴缸比較好清理，也
   不須擔心水管淤積。

使用方法

沐浴時身體先不沾濕，將沐浴蜜鹽塗在身上，用輕柔的四層分離按摩沐浴法（參考
200頁），可幫助身體將淤積在體內的老舊廢物代謝出來。此沐浴蜜鹽也可置於浴
缸中泡澡。

鹽的其他妙用

天然鹽的來源大致分為岩鹽、湖鹽、海鹽。

天然的鹽含有很多的礦物質,有些是有益人體的微量元素,但也有可能含有害人體的重金屬,所以選擇天然鹽不是愈貴愈好,應該是確定此鹽是否有經過化驗,確定無重金屬成分才可食用。

我在此提供一個家傳有關鹽的瞬間止癢妙方──被蚊子叮咬時千萬不能抓,第一時間取少量的細鹽,搓揉於患部再拍除皮膚上的鹽就可瞬間止癢,非常神奇好用。先止癢後再擦上任何含有薄荷涼涼的藥膏很快就消腫了。鹽這麼好用,因而搭機旅行時,我都會收集餐點中所附的小鹽包,以備不時之需。

動手玩玩屬於自己的香料調味盤

調味鹽適合撒在涼拌、汆燙、燒烤、油炸的食物上來提味,愛怎麼用都可以。蔬菜、海鮮、肉類每種調味鹽的香味該跟誰搭配,可以考一考自己的味覺喔!

★辣味調味鹽

辣椒整條或剖開去籽,用食物乾燥機低溫乾燥。將乾燥的辣椒用研磨機磨碎,加入少許鹽攪拌均勻。不想麻煩就買乾辣椒,或直接用辣椒粉加鹽拌勻就好。此外,薑和胡椒是不同類型的辣味,可以試做看看!

★麻味調味鹽

花椒粒用小火在乾鍋中炒過,再用研磨機磨碎,加入少許鹽攪拌均勻。

★酸味調味鹽

檸檬整顆切薄片後去籽,用食物乾燥機低溫乾燥,將乾燥的檸檬片用研磨機磨碎,加入少許鹽攪拌均勻。貼心提醒:出外旅行時帶些乾燥的檸檬果片或磨碎的果粉,每天早晚沖熱開水喝,記得加一丁點的鹽,可消除疲勞預防感冒喔!

★果香調味鹽果皮法

可使用橘子、柳丁、檸檬、柚子的果皮。橘子皮剝成小片或用刨刀取下柳丁皮、

檸檬皮或柚子皮，用食物乾燥機低溫乾燥，將乾燥的果皮用研磨機磨碎，加入少許鹽攪拌均勻。

★果香調味鹽柳丁果片法

柳丁整顆切薄片去籽，用食物乾燥機低溫乾燥，將乾燥的柳丁果片用研磨機磨碎，加入少許鹽攪拌均勻，這種調味鹽因含果肉，所以會帶點甜味。貼心提醒：使用果皮類時須確認無農藥殘留才可安心使用，果皮與果肉間白色部分帶有苦味，不喜歡苦味的人不要使用。

★花香調味鹽

將食用玫瑰花瓣用食物乾燥機低溫乾燥，再將乾燥的花瓣用研磨機磨碎，加入少許鹽攪拌均勻即可。玫瑰可用花茶取代，也可選擇其他香味，像是桂花、茉莉花、薰衣草、迷迭香。

★複方調味鹽

可依自己喜愛的口感將上列的單味調味鹽做組合，再加入一些香料粉，組合成有香味層次的複方調味鹽。可供參考的香料粉包括：羅勒、巴西里、百里香、蒜粉、洋蔥粉、薑黃粉、咖哩粉、五香粉。做好的調味鹽找個美美的瓶子裝起來，當成獨一無二的伴手禮也很棒！

祕密的電話與祕密的鑰匙

· 離開廷布
· 經過108座佛塔
· 拜訪皇家植物園
· 參觀普納卡宗並打坐片刻，並與堪布朋友仁波切喝下午茶
· 夜宿旺地（Wangdue）龍穴飯店

人們對祕密的事情總是充滿了興奮與好奇，這次的不丹行我們安排了許多跟一般觀光團不同的行程與見聞，甚至還能親眼見到一般觀光客無緣見到的文物，除了驚呼讚嘆外，我們就像一群好奇寶寶一樣，興奮得不得了。

充滿智慧的廷布仁波切

結束了三天在首都廷布的參訪行程，總算我們可以離開首都，離開現代的都市，前往不丹東部開始我的採集之旅。今天發生的趣事是一早堪布多傑忽然通知，請我們趕緊吃完早飯之後好好整理一下儀容，原來他今天一早六點多忽然連絡上了廷布仁波切，廷布仁波切與黃會長是舊識，知道黃會長來到不丹，而且今天要啟程往東部，一大早便特地趕來飯店看我們。

廷布仁波切說，今天我們能在此碰面是非常特殊的緣分，因為他有一支非常

神祕的祕密電話，平常根本沒有人知道電話號碼，今天清晨接到堪布來電，才知道我們已經來到不丹而且將離開廷布，因爲他明天也即將閉關，所以趕過來與我們相會，這眞是一個十分特別的機緣。

廷布仁波切非常有意思，他爲了多了解當地人民的生活，常會微服出巡裝扮成普通的喇嘛到處逛逛走走，廷布仁波切給我的感覺是智慧的象徵，我請求廷布仁波切爲幸福鹽罐祈福，在仁波切的加持唱誦中，我也祈願世間大眾都能俱足大智慧。

擁有祕密鑰匙的蒙卡宗最大的宗教長蒙卡仁波切

不丹是一個政治與宗教並重的國家，每個區域（稱作「宗」）都會同時有區域的行政首長與宗教長。在五月七日，我們搭了大約十小時的車程到達東部的蒙卡時，蒙卡宗的宗教長蒙卡仁波切沒等我們第二天去拜訪，就先趕過來住宿的飯店看我們，這位宗教長仁波切是當地職務最高的仁波切。

蒙卡仁波切非常親切和善，他不但很親切的與我們寒暄，且當我們詢問關於不丹第三世領袖夏宗的歷史時，蒙卡仁波切不但爲我們做簡單的介紹，還答應第二天要帶我們去參觀第三世夏宗的出生地。甚至還告訴我們，身爲當地職務最高的仁波切，他還負責保管著一支祕密的鑰匙，這支祕密鑰匙可以讓我們看到裡面收藏的夏宗私人物品，應該有助於我們更了解夏宗。

當我們去參觀第三世夏宗的出生地時，仁波切用那支祕密鑰匙開啓層層關卡

上圖為廷布仁波切，下圖為蒙卡仁波切。

的收藏櫃，讓我們近距離目睹佛像、念珠、天鐵、鞋子、衣服、帽子，還有夏宗小時候的動物玩偶等等文物，但為了避免我們起貪念，想將夏宗的衣物抽幾根線回家作紀念，他告訴我們：「在不丹，所有國家重要的文物都有編號，並且丈量過尺寸，也都有照相或繪圖記錄特徵後存檔，哪怕是布料上的破洞，也都丈量過尺寸，這樣才能避免人為的破壞。」說到這裡，大家一邊哈哈大笑，也才察覺自己起的貪念，難怪這裡要用祕密鑰匙鎖著，也難怪要請仁波切保管祕密鑰匙，這樣不管是誰，都沒有特權可以破壞文物。

這位仁波切給我的感覺是謙卑與正直。我請求仁波切為幸福鹽罐祈福，在他的加持唱誦中，我也祈願世間大眾都能俱足謙卑與正直的心。

蒙卡仁波切謙卑正直與無私的心讓我很佩服，我相信他也是用這份心去教導與帶領整個蒙卡宗的喇嘛，我也請求仁波切能送我們一些寺廟中的鹽，仁波切命人取鹽時說：「鹽巴是充滿能量的，如果沒有鹽巴什麼食物都做不成了。」當蒙卡宗寺廟內的鹽加入祈福鹽罐時，我相信這個宗的精神力將會隨著鹽罐到台灣，再由台灣跟世界分享。

上圖爲第三世夏宗出生地。

力量與威儀的崗頂仁波切

我們在第四天走訪了海拔高達四千多公尺的崗頂寺。崗頂仁波切很關心我們
來到不丹這麼高海拔身體是否適應。

當第一眼看到崗頂仁波切時，他給我的感覺是力量與威儀。同樣的，我也請
求崗頂仁波切爲幸福鹽罐祈福，崗頂仁波切對鹽罐的祈願是，希望人類可以
免除輪迴之苦。當崗頂仁波切在加持唱誦時，他低沉的嗓音所發出的震波，
讓大家都感受到身體的震動，這是非常具有力量的唱頌，在崗頂仁波切的加
持唱誦中，我也祈願世間大眾都能俱足勇氣的力量。

左圖爲崗頂仁波切，右圖爲桑給多傑仁波切。

慈悲與關愛的桑給多傑仁波切

如果這些仁波切各代表著一種力量，那麼住在首都廷布的桑給多傑仁波切正代表著慈悲與關愛。

在前一篇提到，我們前幾天在桑給多傑仁波切家中作客時，當桑給多傑仁波切爲幸福鹽罐祈福時，我所感受到的是溫柔且無私的大愛力量，當時的我在這麼無私的能量中感動得淚流滿面。在桑給多傑仁波切的加持唱誦中，我祈願世間大眾都能俱足慈悲與關愛的力量。

當時我把自己用精油調成的肝臟調養按摩油，以及幫助舒緩痠痛的萬用修護

膏送給桑給多傑仁波切時，桑給多傑仁波切非常高興，並對我說：「像我這樣的老人，如果身體不舒服到醫院跟醫生求助的話，醫生通常只會說，那是因為你老了，而無法提供真正具體的協助。你能設計讓老人感到很舒服的產品，這是一件非常好的事情。」

當時我告訴桑給多傑仁波切我的願望是，「希望我所設計出來的產品，能夠幫助人類心理與身體的健康，讓所有的人都可以過著幸福快樂的日子。」他聽了之後告訴我：「工作能跟心念合而為一，這是一件非常幸運的事情，因為你的想法及心念是希望人類可以過得更好，而你的工作又跟照顧心身有關，這兩者可以結合是一件非常好、且非常有意義的事情。」

桑給多傑仁波切也勉勵我說：「發的願愈大，信念愈強，所得到的祝福就愈強大。想要奉獻的心再加上願力，它就會像種子一樣發芽而且慢慢茁壯，到最後這些好的能量也必定會轉回到你自己的身上。」

巧的是桑給多傑仁波切也在我們拜訪的隔天啟程前往山上閉關，當我們最後一天，最後一站到達虎穴寺時，竟然在不對外開放的移喜措嘉佛母修行處，再次遇到桑給多傑仁波切，原來桑給多傑仁波切是在這裡閉關。我們到達虎穴寺這天，桑給多傑仁波切正在此處準備閉關所需物品，聽說隔天就要正式上鎖不見客了，所以我們很幸運還能在此時再度見到桑給多傑仁波切。

虎穴寺除了需要騎馬上山外，單程還要走八百個階梯才能到，而旁邊的移喜措嘉佛母修行處，陡峭的石版階梯幾乎用爬的才能到達，我們很佩服桑給多傑仁波切這麼大的年紀還能到這裡閉關，告別桑給多傑仁波切去參訪旁邊的虎穴寺，回程時，遠遠望見桑給多傑仁波切閉關處的窗邊有一條擺動的白色哈達──原來是桑給多傑仁波切用力揮舞著白色哈達跟我們道別，真的好可愛，也好親切！

我們告別桑給多傑仁波切到參觀完虎穴寺也花了不少時間，而仁波切竟然能在我們離開虎穴寺時用哈達遠遠的跟我們揮手道別，可見他在計算時間，並一直監控窗外的景象，我們慢慢的走著石梯回程，只要有人一回頭仁波切就招手，剛開始真的捨不得走頻頻回頭揮手，後來想想還是趕快走，因為我們邊走邊喘氣，腳程很慢，這樣下去深怕會累著這位高齡的仁波切，一直到看不見閉關小屋的前一秒鐘仁波切的手都沒停過，這也讓我的淚水一直在眼眶裡打轉……

在這次的旅行中參訪了不少不丹的重量級仁波切，每位仁波切都給了我不同的震撼，也讓我帶回的祈福鹽罐中充滿著智慧、勇氣、謙卑與慈悲的祝福能量。

有關不丹之一

 不丹的歷史與地理

不丹在地理上有何特殊之處？

不丹的面積為三萬八千平方公里，比台灣略大一些。北邊以綿長的喜馬拉雅山脈與中國西藏相隔，南邊則與印度接壤。由於全境幾乎都是山地，所以海拔落差非常大。基本上南部地勢較低，最低海拔約為一百多公尺，屬於亞熱帶氣候；北方則海拔較高，可高達七千多公尺，屬於寒帶氣候。也因此，這個國家的生物性非常多樣，溫暖的南部可以看到大象，而在寒冷的北部則看得到雪豹。

不丹分為二十個行政單位，稱為「宗」，由於不丹為政教分治的國家，所以每個「宗」都設有一個行政首長與一個宗教首長。全國共有十一個國家森林公園，由於森林涵蓋面積超過全國面積72%，是全亞洲森林覆蓋率最高的國家。不丹重視環保與生態資源，因而在2005年被聯合國授予「地球的衛士獎」。

可否為我們講解一下古代不丹的歷史？

不丹在喜馬拉雅山東岸的南麓，根據考古的資料顯示，從西元前一千五百年甚至西元前兩千年時，就有游牧民族在目前不丹的低窪山谷活動。在蓮花生大士來此之前，此地又被稱為門巴，它既不屬於西藏也不屬於印度，是一個獨立而與世隔絕的地域，而境內則是各地部落首領分據的局面。這樣的狀態一直到了十七世紀才有了關鍵性的改變。當時不丹境內的部落一直爭戰不休，而隔著喜馬拉雅山的西藏，因為流派爭議，不少高僧大德開始越過高山來不丹弘法或建立分院。基於這樣的因緣，西元一六一六年，來自西藏的聖者夏宗開始致力於不丹的統一，不丹從此改變了部落分據狀態，成為了一個完整的國家。在夏宗的領導下，不丹經歷了第一個盛世。可惜西元一七○五年，隨著夏宗圓寂的消息傳開，接下來的兩百年不丹又陷入了內戰。

那麼，不丹又是如何走向現代化的？

上述提到的混亂局面一直持續到一九○七年，本塘的領袖烏金‧旺楚克被地方首領跟中央寺院推舉為現代不丹的第一任國王。

一九二六年第二任國王吉梅‧旺楚克即位，在他統治期間，不丹依舊保持與外隔絕的政策，只跟英國有基本上的外交互動。

接下來於一九五二年繼任的第三任國王吉梅‧多傑‧旺楚克，他被稱為不丹現代化之父，因為他，不丹開始走向世界。他不但終止了封建制度跟奴隸制度，在他任內還建造了一千七百七十公里的公路，以及現代化的醫院，並促成不丹在一九七一年加入聯合國。

三世國王吉梅‧多傑‧旺楚克於一九七二年過世，才十七歲的第四任國王吉梅‧辛格‧旺楚克即位。繼任之後他提出了GNH（國民快樂指數）的概念，因為他發現人民需要的是快樂幸福，因而他以GNH為不丹所有政策的依歸。又在二○○八年首度舉行全國大選，依照議會民主制度選出新政府，使不丹成為議會民主的國家。他在二○○六年一月十八日宣佈把政權交付他的兒子第五任國王吉梅‧噶薩耳‧旺楚克，並於二○○六年十二月十四日正式移交。

本文內容由台灣不丹文化經濟協會黃紫婕會長提供

龍王的禮物

還沒到不丹之前我就在想，地處高海拔的不丹，是個沒有工業污染的國家，這裡絕對是收取幸福花露水最佳地點，所以不管我再累也一定要早起，學習古人收取清晨花上的露水來保養肌膚。

但來了幾天，清晨外出採集都沒有收穫，望著這被山所環抱，而且山上不時有山嵐霧氣盤據的首都廷布，當時有點失望。黃會長安慰我：「過幾天要往東部山區走，那裡一定能收集到花露水。」

昨晚夜宿龍穴飯店，光聽這個名字就很吸引人，因而睡前我祈求龍王：「今晚在您家過夜，外面有個小花園，希望明早能採到花露水。」
夜裡依稀聽到嘩啦啦的雨聲，清晨帶著工具到花園，哇啊！花上滿滿的都是雨露！我興奮的用工具一路狂吸，尤其是注滿了雨露的玫瑰花，收集起來更是過癮，我心裡想著，可惜這個花園玫瑰不多，要不然就可以收集得更順利，不過別太貪心，要謝謝龍王昨晚的一場甘露雨才是！

想到自己從這第一個實現的願望起，這一路真的都是心想事成而且馬上靈
驗，就感覺超幸福的。

通莎的龍形迷霧

由旺地出發要到通莎的路上，到處都是開著黃花、非常漂亮的仙人掌。途中
我們先去參觀製香工廠，不丹的香點起來香味很特別，藥材的香味很濃，這
些香都是由天然的植物磨成細粉製成的，光原料就有二十幾種，至於那些香

的顏色，也是用礦石染的，完全純天然。我買了一些香粉，準備回家後再加些艾草粉，自己加工一下，來做有藥香的驅蚊香，效果一定非常好。

路上經過崗頂寺後就開始飄著雨，黃會長說上次來不丹有看到雙彩虹，希望這次也能看到彩虹。沒想到話才說完沒多久，就聽到同行的團員大喊：「停車！停車！有彩虹！」這真的是太神奇了──或許這就是所謂的心想事成吧。

今天要在通莎過夜，等我們到達今天最後一個參訪景點──通莎博物館時，已經接近館方下班的時候了，但館長一如所有友善的不丹人，不但熱情的接待我們，還讓我們再去頂樓看一些平常不對外開放的珍貴文物。

這個博物館居高臨下，以前是個堡壘，具有作戰防守的功能，所以在頂樓的戶外休息區可看到整個山谷，此時天色已暗，山谷中飄著純白的山嵐顯得特別明顯，稀落的燈火，讓這個山谷中的城市格外寧靜，要不是馬上就要離開，真的好想在這裡好好打個坐。

這次到不丹，我就一直在祈求能夠見到龍王，在這個地方，我的心很安定，此時，我心想，不如打個心靈電話給龍王試試看，看看能否有因緣見到他，即使在夢裡相見也好……

突然間聽見隊友驚呼：「快看！有龍耶！」快步上前到圍牆邊往山谷望去，天哪！真的是一條正在飛行的龍形迷霧，樣子就跟國旗上的雷龍一模一樣，而且五官清晰分明，他還貼著山谷快速的往上飛。「相機！相機！誰有相機？」我的小攝影機因為記憶卡已滿而不能拍照，這時龍頭的形體已經慢慢

變淡消失中，我顫抖的手邊換記憶卡，心裡邊說：「拜託，龍王，等我一下！拜託，一下就好，拜託！」

雖然拍到時龍頭的形狀已經變淡，但還是可以看得出來他的形象，雖沒有見到龍王真實的影像，但拍到龍形迷霧，已經夠讓人興奮的了。

晚上就住在附近的飯店，夜裡看到我最愛的閃電，也聽到有如龍吼的雷鳴，感覺漆黑的天空中有龍王家族正嬉戲著，貪心的我睡前的願望是──希望明天清晨還能與龍相會。而第二天早上天剛亮，我就帶著攝影機往外衝，這間飯店景觀非常美，四周有山環繞，可以看到層層疊疊的山谷，還可看到谷底的溪水。

山嵐霧氣正嬉戲著，沒看過這麼活的山嵐，一會兒由谷底快速竄出，一直上升到山頂；一會兒由層層疊疊的山縫中冒出，形狀活像龍頭；一會兒又消失得無影無蹤。又過了一會兒，有著龍尾形狀的長條雲盤據著整個山頭，「神龍見首不見尾」的形容詞在這裡真的用上了，這些山嵐霧氣雖然也是有著龍的特徵形狀，但卻多少需要運用些想像力，因為昨晚龍形迷霧太清晰了，讓今天的我產生了比較的心，真不應該。

拍完照逛到花園，看到好多紅玫瑰，上前一看，一朵朵的玫瑰花裝滿了雨露，趕快回房拿了塑膠袋來裝，將一朵朵的花露倒入袋子裡，真是大豐收。

路上堪布多傑說現在還不到雨季，這個季節應該是不下雨的，因而，他覺得這一路的雨是「花雨」。

此時我突然腦中念頭一閃，我知道了，這是花雨沒錯，而且是龍王貼心的禮
物，他先下雨把花都清洗乾淨了，再用玫瑰花當杯子，盛著一杯杯的甘露水
送給我們。

由於氣象報告說今天會下大雨，昨天這一路的雨讓大家都擔心起今天路上的
安全，不丹的山路就像早期的蘇花公路，不但路小，而且一邊是山壁、一邊
是斷崖，彎路就像北宜的九彎十八拐一樣驚險，而且路上不時也會看到一些
坍方的地方。

我在心中默默的謝謝龍王，他的禮物我已經都收到了，而且花露水也夠了，
希望別再下雨，讓行車方便且安全，結果今天真的都是好天氣沒有下雨！

不丹的幸福配方之五

 玫瑰花露水

花露仙子夜晚在月光下與花共眠，清晨在陽光降臨時她就消失無蹤，想要留住她可要比太陽早起才行。

玫瑰花露水處理方式

1. 初步過濾

   收集到的花露水還是要經過過濾，才能安心使用。先用咖啡濾紙或泡茶濾袋做粗過濾，把肉眼所見雜質濾出。

2. 再度過濾

   初步過濾之後，再用實驗器材行有賣的定性濾紙再過濾一次。

   定性濾紙孔徑只有五到十微米，能濾肉眼看不見的雜質。

3. 淨化

   若是花露水量大時，可以把濾好的花露水煮沸殺菌。

   在這裡，我選擇用醫療器材行有賣的針筒濾膜來過濾小量的露水。

   此外，也可以使用實驗室專用的濾杯，來過濾大量的露水及泉水。

   此濾膜孔徑為0.22到0.45微米，能徹底濾除水中細菌及其芽孢，花露水經此過濾才算真的淨化。

4. 分裝

   將花露水分裝於無菌容器中，就可試試看這種古時候的純天然化妝水了。

幸福迎賓酒

· 整天趕路到蒙卡
· 拜會蒙卡首長，首長夫人請喝蛋酒
· 蒙卡宗的宗教長仁波切來旅館與大家見面

位於不丹東部的蒙卡是這次行程中的折返點，我們必須在今天由通莎一路趕到蒙卡，這樣行程才不會耽擱。

昨天拜會崗頂仁波切時，仁波切囑咐我們今天路上會經過幾個高海拔路段，最高的地方海拔將近四千公尺，要我們小心的照顧好自己。當車子行駛在高海拔的山頂時，向下望著深不見底的山谷，心蹦蹦的跳著，到底是高山反應還是懼高反應，還真有點分不清楚。

不丹是一個沒有紅綠燈的國家，不丹人開車也不會亂按喇叭，從城市到鄉村幾乎聽不到喇叭聲。在沒有反光鏡的彎曲山路上，每個彎路，我倒真希望司機先生能按點喇叭以提醒對方車輛。可是以路況彎曲的程度來說，如果每個彎道要按喇叭的話，我想，還沒到蒙卡，我們應該就會瘋掉。還好路上也沒什麼車，所以一路只有風的聲音伴著我們前進。

我們終於在天黑前趕到蒙卡。堪布先帶我們去首長家拜會，首長夫人非常的

親切，笑瞇瞇的端出迎賓蛋酒請我們喝，這碗熱騰騰的蛋花酒乍看之下很像酒釀蛋，喝起來酒香味十足卻完全無甜味。這是用當地自釀的酒加入蛋花煮成的，好客的首長夫人看我們喝得很起勁非常的高興，還把他們晚餐要喝的酒湯也拿來招待我們，這種酒湯很特別，它是在酒中加入一些穀物粉煮成，晚餐吃這個一定一覺到天亮。

不丹的酒都是用米去發酵釀造，再經過當地特有的傳統蒸餾器蒸餾而成，每家都有私人獨特手法，釀出來的酒各有風味，這幾天喝了好幾個地方的自釀酒，每家各有特色──民俗博物館館長招待的酒喝起來很圓潤非常順口，感覺酒精度數最低；桑給多傑仁波切家的酒因加入不同原料去釀，所以有著淡淡的粉紅色，而香氣也不太一樣，酒精度比較像米酒；蒙卡首長家的酒，可能因為是熱熱的喝，因而感覺最烈，並且煮成酒蛋及酒湯，所以也最特別。

不丹，不管是距離或是高度，都離家這麼的遠，在這裡喝到這碗酷似酒釀的蛋花酒，突然間思念親人的情緒湧了上來，讓我很想念娘家的爸媽，想念他們做的酒釀，也想起跟他們返鄉探親的情形……

以前就常聽爸爸說起家鄉的酒釀有多好吃，還說在物資缺乏的年代，到別人家作客，主人對客人的最高敬意，就是奉上一碗酒釀蛋，這對愛吃酒釀的我來說，可是天大喜事，心想這次去探親可以吃酒釀吃到過癮了——跟著爸媽回到了湖北的鄉下竹根灘，才知道這個最高敬意的迎賓酒釀，是一個大碗公內，飄著四顆荷包蛋，碗底還放著一層厚厚的沒有攪動過的糖。蛋跟糖是很珍貴的傳統，在這裡依舊保留著，每人一碗公的「甜」酒釀「蛋」，客人一定要吃個精光，這樣主人才會覺得很有面子。

記得回到家鄉第一個吃到的食物，就是讓父親懷念了四十年的甜酒釀，看到父親臉上那種幸福的感覺，我無法形容，也永遠都忘不了。短短的一天內，父親變得精神飽滿、聲音宏亮，臉上也容光煥發，整個人年輕了十幾歲，當時我跟媽媽都很驚訝，是什麼原因能讓父親有那麼大的轉變。

吃到了想念了四十年的家鄉味，見到了闊別了四十年的親人，訴說著我從來不曾聽過的辛酸血淚史，當年的我長那麼大，從來沒聽父親講過那麼多的話，無法想像他的心裡憋了那麼多的事情。他的情緒從來就沒有出口，難怪老是胸悶疲倦。

大家都知道，心情受到壓抑與長期鬱悶對身體健康是很可怕的隱形殺手，當你放下壓在心上那顆大石頭時，心鬆、氣順、脈柔，全身細胞都會跟著回春，難怪洪啟嵩老師常教我們要「放鬆、放下、放空」。其實就這麼簡單，不用花錢不費力氣，只要願意，每個人都做得到。

回台灣後，父親用家鄉帶回的酒麴做酒釀，吃過的人都很驚訝的說，「不知道為什麼，只要吃到這酒釀時，心中就會泛起幸福的感覺，甚至還會想起小時候吃酒釀的一些美好回憶。」我知道這「幸福酒釀」是父親用「心」用「感情」做出來的，他希望大家跟他一起分享這份幸福，能將父親做酒釀的心法傳承下來再交棒到下一代，是我的願望也是責任，我很高興我們家從小吃酒釀長大的酒釀公主，也就是我女兒，除了是品嘗酒釀的高手外，並且已經學會如何用「心」做出好酒釀，希望她能把這傳統手藝的心法一代一代的傳下去。

不丹的幸福配方之六

 食譜 養生有機紅麴甜酒釀

製作法

1. 有機圓糯米1斤,用過濾水輕柔的洗淨,浸泡三到四小時。

2. 蒸米前再淘洗一次,再把水瀝乾,用蒸籠把米蒸熟。

3. 熟飯取出,放入底部有細孔洞的乾淨洗菜籃中,快速沖冷開水。

4. 邊沖水邊將米飯撥散,要粒粒分明,瀝乾水分後倒入鍋中。

5. 平均撒入無麴毒素的優良紅麴酒麴粉10公克。

6. 攪拌均勻後以玻璃容器盛裝。

7. 表面米粒抹平就好,千萬不要用力壓緊,瓶蓋輕蓋不要上緊。

8. 冬天需保溫,夏天室溫即可。約2天就可試吃,無米飯感覺時就算完成。

9. 熟成後放入冰箱保存,冷藏時還會再慢慢發酵,冷凍可長期保存口感。

貼心提醒

甜酒釀是老祖宗留下來最天然簡易的養生妙方,很多人卻誤以為酒釀酒味一定很
重,其實只要用到好的酒麴,酒釀氣味清香、甜而不膩,連小朋友都愛吃。

酒釀的正確養生觀念不是突然大量食用,而是每次少量但每天食用。適當的食用量
為純酒釀成人一次100g,一天最多吃三次。 酒釀要做得好,必須注意:

1. 所有使用器具不可有油或鹽的殘存,也不要用裝過醃漬物的玻璃瓶裝酒釀,否則
   無法發酵。

2. 室溫達25℃以上製作成功率較高,建議端午過後中秋之前製作,可用鋁箔袋冷凍
   儲存至冬天慢慢吃。

3. 冷凍超過半年,糖分會析出,表面會有白色糖霜物,冷凍的酒釀也會變堅硬,需
   退冰取用。

上圖爲不丹的鹹奶茶與迎賓飯。

酒釀食譜

★夏天食譜：果漾雪耳酒釀

綜合水果罐頭1碗+煮軟放涼的白木耳1碗+酒釀350g+冷開水300g+少許冰塊直接

拌勻就好了。

★冬天食譜：傳統酒釀蛋

水400g先煮滾，再把蛋汁放入如做蛋花湯般，基於衛生安全考量，建議等水再煮

滾後才熄火，熄火後加入酒釀350g稍加攪拌，就可用碗裝盛。

★早餐食譜：酒釀粥

兩湯匙的酒釀加入稀飯中拌著吃，或加在沖泡式的早餐中，例如牛奶、麥片、芝

麻糊等食用。

是綠色天使
還是綠色殺手

· 拜訪農業研究中心
· 拜訪第三世夏宗出生地
· 拜訪蒙卡宗，並接受仁波切招待及加持物

今天在草藥專家的帶領下，我們參觀了蒙卡的農業研究中心，這裡種植了很多藥用植物，用來提供學術研究使用。包括本土的檸檬草，也包括許多外來的藥草植物，我看到最令我驚奇的是，目前他們正在試種一種藍色的薑，外表看起來跟一般的薑沒什麼不同，但切開來卻有如藍色染料一樣，十分美麗。農業研究中心的工作內容，也包括利用實驗室設備萃取不同種類的植物精油，他們精油的品質很好，但可惜他們具有萃取精油的技術，卻沒有銷售精油的管道，以至於不敢貿然大量生產，頗為可惜。

右頁圖上為不丹正在培育的特殊品種藍薑。右頁圖下為我們一行人參觀不丹的農業研究中心。

Silverfir oi

winter green

KUENSEL

NE 21, 2008

我在他們架子上看到一些香皂的樣品，詢問後才知道，原來他們目前正開始在研究手工香皂。但是依照我們常見的手工香皂的標準，似乎他們的產品還是略顯粗糙，不夠細緻，更談不上美化。我不禁想起，在台灣玩手工香皂的人要求的水準都很高，除了清潔的基礎功能外，也要兼具保養甚至賞玩的功能，並且一切講究純天然。剛剛那個美麗的藍薑，如果拿來當手工香皂的天然染料，想必一定會大受歡迎……

在這美麗的農業研究中心一邊參訪，一邊想著，不丹的森林覆蓋率高達百分之七十二，這一趟旅行中，我看到一些被本地人當成雜草，卻具有開發價值的植物。像當地的檸檬草，原本也是滿山遍野的野草，幾年前經過德國的專家發掘，並引進萃取技術之後，已經鹹魚翻身，替不丹帶來一些財富。

不過，一邊看著不丹美麗的原生植物，我心中暗自希望不丹在發展經濟作物的同時，可以如同不丹其他的政策一樣的謹慎，只發展當地原有的在地植物，不要隨便引進外來物種，因為只要一不小心就很容易造成生態浩劫。因為不管是環境綠化，或者為了經濟效應，引進外來物種事前的評估一定要非常嚴謹，一般民眾也要有在地原生植物才是寶的觀念，要不然當天使變成殺手時，所就算耗盡社會資源也不一定救得回來。

有關不丹之二

 知識　**不丹的植物**

十萬分之一才有的幸運——四葉幸運草

到不丹的第一天，我們到了廷布的動物園參觀不丹稀有神獸，也就是俗稱六不像的羚牛（Takin），我在動物園區裡發現地上有好多的白花苜蓿，一時興起，想找找看是否找得到傳說中的四葉白花苜蓿，沒想到就在蹲下來的同時，就看見腳邊的白花苜蓿中有三株四葉白花苜蓿，也就是俗稱的幸運草。聽說在十萬株的白花苜蓿中，才有可能會發現一株「四葉」的幸運草，這幸運象徵，竟然讓我一次遇到三株。更特別的是，當時我內心想著：「幸運草！你是否願意跟我一起去旅行，讓所到之處也幸運一下呢？」結果有一株給我的感覺是：「你不要碰我，我還小小……」另一株是：「我不認識你，但是你可以照相。」最後一株表示：「好啊！好啊！我想跟你一起去旅行去！」我當時心裡感受到這樣的回應時，自己也覺得很好玩，心裡想

是高山症出現幻聽嗎？再三確認後，才以最小心的方式摘下那片幸運草夾在書中，跟著我們一起去東部旅行。

傳說中如果巧遇幸運草，會有好運降臨，可以許下心願使願望成真，幸運草所代表的意義說法不同，但是這些都是大家想要擁有的，我希望將自己的幸運跟大家分享，讓看到相片的讀者也能一起許願，一起擁有這些幸運的祝福。

第一片葉子代表「真愛」或「信仰」。

第二片葉子代表「健康」或「希望」。

第三片葉子代表「名譽」或「愛情」。

第四片葉子代表「財富」或「幸運」。

我將這些幸福送給您，也請您將幸福分送出去。

從108座佛塔到皇家植物園——小野莓

離開了首都廷布，不丹就像是一個巨大的植物園，而不管是我們到一〇八座佛塔，或者去皇家植物園的沿路上，到處都佈滿了白色小花和紅咚咚一顆顆的果子，從花的形狀跟果子的樣子，我判斷應該是野莓，不過因為出門在外，為了安全起見，不敢隨便摘取看似很像但未經證實的植物食用。詢問過堪布他說這是野草莓，他們小時候都會隨手摘來吃，見他吃了好幾顆，我也隨手摘一顆品嚐，滋味酸甜甚是好吃。

後來的行程中我們在早餐時常吃到這種小草莓做的果醬，當時隨手摘的小草莓數量不多沒法做太多利用，我就用糖把它醃漬起來當蜜餞吃。

隨處可見的雜草——艾草

不丹到處可見的雜草竟然是跟我們生活息息相關

的艾草。第一次在不丹注意到艾草，是看到不丹的導遊在動物園旁的草地上摘取了一種植物來餵神獸羚牛，我當時很好奇他們餵羚牛吃些什麼，走近一看，才發現原來是我們熟知的艾草。

艾草的用途很廣，可以萃取它的精油用來預防關節炎，對安撫風濕痛也很有幫助；葉子晒乾可做成艾條，用艾灸可改善身體狀況；端午節可將艾草插在門口用來辟邪除穢，還可將艾草煮水用來沐浴，可增加氣血循環、改善皮膚搔癢；艾草也是一種很好的食物，嫩葉可用來煎蛋、炒菜、做客家艾粄、草仔粿等等。

既然檸檬草已經成為不丹的在地國寶，我希望艾草也可以成為下一個不丹國寶，讓雜草變黃金。

在旺地製香工廠這一帶——仙人掌

從首都一路往東，到旺地路邊的植物又不同了。這裡路邊到處是開著黃花結著紅色果子的仙人掌，因為不丹各地海拔都不同，當地很多植物是過了這個地區就沒了，所以我趕緊下車採集一些花跟果子回飯店做實驗。

這些都是可食用的品種，仙人掌全株都可入菜食用也可以入藥，只是採摘仙人掌要很小心，因為不容易看見的小刺很多，我在處理時雖然戴了手套，還是會被小刺扎到。所以除非有人教你怎麼採收仙人掌，要不然千萬不要自己去採摘處理，以免把自己給弄傷了。

仙人掌含有豐富的纖維素、維生素C、礦物質、蛋白質、黃酮類、多醣類、SOD等多種活性功能成分。仙人掌萃取其活性成分對皮膚有很好的滋養作用，非常適合運用在美容保養品中，可增加保養品的美白、保濕、抗敏、抗氧化功效。

台灣也是盛產仙人掌的地方，我在台灣的工作團隊目前也正在進行仙人掌萃取液的細胞活性研究，希望透過實驗能幫助台灣栽種業者，在化妝品界尋求另一片天空。

幸福皇宮的紫色夢幻──普納卡宗的藍花楹

有幸福皇宮之稱的普那卡宗,位於左邊母河及右邊父河的兩河匯接處,是不丹的故都,第一任國王就在此地即位。

遠遠望見普納卡宗的時候,就被它美麗的景致吸引,從橋上往內走,會有如走入畫中的感覺,一整排飄落著粉紫色花朵的藍花楹,讓人覺得身處童話故事中,看著這紫色夢幻般的花海,真想坐在樹下任由花瓣飄落淹沒自己。當天我們收集了很多的花瓣,晚上大家都洗了一個紫色的夢幻花澡。

藍花楹可做成花精,適合個性容易慌張、不夠穩重的人使用,也可以幫助老是猶豫不決或是不斷改變心意、不夠果斷的人意志堅定。近年來台灣的學者也致力於研究藍花楹的花部萃取液,更曾在學術論文上發表過藍花楹萃取液具有抗氧化活性、幫助皮膚保濕、促進皮膚彈性及防曬上的功效。

討喜的喜氣紅花——紅千層

在通莎看見像奶瓶刷的紅千層花。

紅千層花隨風搖曳的姿態非常的美，「多財多才」的花語更是討喜，我也在此祝福所有看到書中幸福紅千層相片的讀者多才又多財。

紅千層花也被使用在花精中，當生活中發生重大改變時，有時會無法處理及應變，紅千層花精可幫助使用者戰勝這些重大的變化，讓心情及生活儘快平靜下來，幫助使用者對外重新建立新關係，讓生活可以繼續向前。

高山上的春意——鼓槌報春花

通莎到蒙卡路邊開滿了一球一球的鼓槌報春花。

這一帶會經過幾個高海拔路段，所以路邊開滿了高山才有的鼓槌報春花，粉紫色的球型花，讓人忍不住停下車來拍照，同樣的，我也採摘了一些到飯店用克難方式做了一些押花。

鼓槌報春花台灣也有，是多年生草本，株高約十五到二十五公分，又稱高山報春花、玉山報春花、玉山櫻草，花期在六到九月，生長分布於海拔兩千三百至三千六百公尺，是高山具有觀賞價值的植物之一。

昔日雜草今日寶——檸檬香茅

檸檬香茅在不丹原來也是雜草，還是外國的專家發現這種草可以萃取精油，於是他們才引進西德的技術，開始生產精油。

目前檸檬香茅已經變成不丹的特色香氛，他們的室內芳香劑，全部都是檸檬香茅的清新香味。

檸檬香茅的香味對環境的除臭效果很好，還可用於驅離蚊子、螞蟻及動物身上的跳蚤。在香氛的使用上，檸檬香茅可消除精神疲勞、提振精神，但是這種精油對皮膚有強烈的刺激性，必須稀釋到很低的濃度，才可以使用在肌膚上。精油對神經痛、風濕痛、頭痛具有舒緩的效果，可消除人體運動後所產生的乳酸，減輕肌肉痠痛的症狀。

通新拉國家公園內的特產——高山杜鵑

這個國家公園是不丹境內極為重要並受到保護的地區。不丹特有的二十二種杜鵑花生長於此,所以有著「杜鵑花園」之稱,旅途中經過此段山路時,不時看到山谷中開著不同顏色,而且非常高大的高山杜鵑,從上往下俯瞰,會讓人很想走進去探險,因為那裡就像電影中精靈住的森林祕境一樣,整個人會有種被吸引進去的感覺。花精與精油也都找得到杜鵑的蹤影,除了增加抵抗力之外,還可以有助於抗壓性。

陽光活力、散發香氣——鷹爪豆

在帕羅的國家博物館旁種著一大片鷹爪豆,這裡的植株非常的高,也非常茂盛,香氣隨風一陣一陣的飄送,吸引不少蜜蜂在花叢裡飛舞。

鷹爪豆原精非常昂貴,因為一千兩百公斤的花中才能取得三百公克的原精,而由於香氣濃郁,它也常用於香水調香用,其香氣就跟它的花朵一樣熱情奔放,讓人充滿陽光般活力。

筆直高聳——松樹林

不丹的松樹品種非常的多,旅途中常常可見一片筆直的松樹林,一眼望去直挺挺的站在陡峭的山坡上非常的壯觀。

但或許是因為不丹的坡度陡峭,或者是不丹不像台灣常有颱風,所以在不丹的松樹幾乎都是筆直往上長,不像在台灣看到的松樹,多少會有一點角度。

我個人很喜歡松樹,而松樹也是全身都是寶,每個部位皆有不同的用途,這次我採集了松樹春天的嫩芽及松針,用當地的酒來浸泡,等熟成可飲用時就可好好的享受一番。

國外的研究報告指出,松樹會在春天分泌生長激素,夏天分泌抗旱激素,秋天分泌不凋零激素,冬天分泌抗寒激素,中醫也認為松樹是少見的具足酸、苦、甘、辛、鹹五味的植物。從古至今都認為松樹助於身體排毒、可以養顏美容,且能幫助人延

年益壽。古時候的仙人用松樹煉丹，想來非常的辛苦，現代人比較幸福，市面上有
各類松樹精油及松樹萃取液，因為太容易取得，所以照顧了身體的同時，卻往往忽
略了要如何照顧自己的心。

台灣本來也是松樹的天堂，可是自從一九八五年起，松材線蟲隨著琉球松及日本黑
松入侵台灣後，在很短時間之內，就造成全省超過五千公頃的松樹死亡，目前國內
的學者專家都還在努力搶救台灣的松樹林，我希望台灣永遠都是美麗的植物天堂，
更希望全民一起愛台灣的在地植物。

辣椒的故事

堪布多傑今日要帶我們去參訪尚在興建中，有一百四十八呎高，全球最大的蓮花生大師雕像。

我們今天由蒙卡出發到倫舍（Lhuentse），沿途有一段很危險的崩坍路段，幸虧昨天有官員要通過，所以先行搶通，今天本來要下的雨也沒下，得以安然來往。

不丹全境只有一條主要道路，加上幾乎全國地無三里平，全部都是山路，只要其中有坍塌路段，就很難行駛。還好不丹人似乎有著不慌不忙的天性，從來不曾看他們為此煩惱。到蓮師像的路途遙遠，甚至車行到半路，連柏油馬路也沒了，我們一台小車就在黃泥路上往山頂顛簸前進。

這座蓮師像尚未完工，但光看基座與佛像的骨架，就已經非常雄偉了。聽說建此尊像主要是曾有預言：在不丹興建一座五層樓高的蓮師像，將有助於世

界和平、繁榮、快樂,並且終止戰爭、饑饉、瘟疫與天災。不過,我不禁想到,光是我們一車七人從蒙卡沿著窄小的山路顛到這座山頂,就已經非常辛苦,真不知道這麼多的工人與這麼多的建築物料,從各地運來,然後在此組合、施工,要花費多大的願力。

因為到此路途遙遠,用餐不便,所以我們準備了戶外野餐,就在蓮師像不遠處的草地用餐。前幾天,我看到阿曼飯店的遊客在一個很美麗的森林花園裡野餐,當時覺得好羨慕,今天終於願望實現,輪到我們也享受一下高山森林野餐的樂趣。

用餐的地點位於這座山的山頂,風景當然美到不行。不丹的食物非常對我的胃口,因為有好吃的辣椒。雖然不丹不以美食聞名,但是不丹的辣椒卻是馳

名天下，幾乎樣樣菜裡頭都放辣椒，據說對不吃辣的西方觀光客而言，這真是苦不堪言，但對於本來就喜歡吃辣的我來說，這簡直是如魚得水。

而且在不丹，不同的地方，辣椒的煮法也不一樣，從生鮮辣椒炒起司，到乾辣椒炒洋蔥番茄末，都讓人不知不覺吃超量。辣味菜餚格外下飯，有時候明明已經吃飽，但是為了多嚐兩口美味的辣椒，甚至還因此專程多裝了一碗白飯來配辣椒。

這一餐野餐，在每個人都已經吃撐之後，我們就把吃剩的飯菜餵給蹲在旁邊等很久的狗狗。我們很驚訝的發現，在不丹，連小狗都非常有禮貌，儘管看著我們野餐，想必肚子也很餓，但是牠們在我們用餐結束之前，絕對不會主動上前索取食物，只遠遠的假裝沒注意的偷偷看著我們用餐。而等我們用餐結束，將剩飯放在地上堆好時，牠們才從容不迫的過來取食。

雖然我們將吃剩的食物留在當地給可愛的狗狗吃，但愛吃辣的攝影師大哥決定要保留這一餐令人難以割捨的乾辣椒炒洋蔥番茄末，用鋁箔紙打包好，帶著下一餐吃。因為接下來行程就要往西，不知道是否還吃得到相同的乾辣椒炒洋蔥番茄末了，結果證明他是對的，的確，我們只有在蒙卡以東，才吃得到這種乾辣椒，其他地方就再也吃不到了。

這一路上有三個很經典的指標——

想要知道這盤辣椒的辣度有多辣？由於攝影大哥熱愛辣椒，總是勇於大口大口的吃各式辣椒菜餚，所以我們只需要看看攝影師大哥吃過這盤菜之後，額頭出汗的顆粒大小，就可以決定要不要嘗試；

想要了解現在身處海拔高度有多少？由於我的室友不耐高山反應，只要高度愈高，她就會盡量讓自己的動作放慢、動作幅度變小，因此只要看室友的動作是設在定格，還是省電裝置，就可輕鬆判讀現在的高度；

想要判斷當地的酒烈不烈，酒精度有多高，同行的編輯舌頭很靈，對酒很有研究，所以只要請他喝一口，他就會分析評比給我們聽。

回程的路上，我想起小時候吃辣椒的故事。小時候常聽大人說吃辣對身體不好，要我別吃那麼辣，愛吃辣的我常想，如果吃辣也可以很健康，是不是就不會有人限制我了呢？

這幾年有研究報告指出，辣椒對身體有益，可清除自由基、亦可瘦身，讓辣椒鹹魚翻身。我雖然愛吃辣，但我知道凡事過與不及都是不恰當的。少量辣椒能增強腸胃蠕動，增進消化促進食慾；過量辣椒卻會刺激腸胃黏膜讓發炎加劇。因而，與其大量食用，辣椒還是拿它來讓食物呈現畫龍點睛的效果比較好。

我是在小三那年的暑假愛上了辣椒，每天望著家中菜園裡頭的小小青辣椒口水直流，等啊、等的，它就是長得好慢好慢，再也等不下去了……趁大人不

在家，拿了個小盆，把可以摘的辣椒全摘了。洗洗、切切、炒一炒，哇！好香！真讓人口水直流，趕快拿碗來把炒好的辣椒盛上來。奇怪？怎麼不到半碗呢？還好沒人會跟我搶，但是兩三口還沒過癮就吃完了……哎，碗底還有點辣辣的油，當然不能放過！拿著桌上的饅頭一路狂沾，鍋裡、碗裡、全都沾得乾乾淨淨，連洗都不用洗。

從那天以後，我每天沒事就會跑去菜園裡，看看辣椒是否趁我不注意又長大了。印象中，那年暑假，菜園中的辣椒，從來沒有機會紅過……

不丹的幸福配方之七

食譜 不丹式辣椒炒起司

這是一道簡易美味，做來不費工夫的佳肴，是不丹每個家庭必做的一道家常菜。

如果這道菜要做給很多人吃，比如在寺廟中，動輒用餐的人超過兩百人，則通常辣椒最後才放。

不丹畜牧業發達，當地特產的起司十分美味，而在製作這道菜時，起司放下去之後不要攪動，以免起司沉到鍋子底部，這樣容易黏鍋。

配方

★紅辣椒大的三根

★香菇一盒

★紅番茄一個

★洋蔥半個

★油兩湯匙

★起司絲

★鹽一茶匙

製作方法

1. 將香菇撕成小塊。不丹的香菇種類繁多，我們這次去不丹參訪的農業中心裡頭，還栽種了日本人最愛的松茸，外銷日本為不丹賺了不少外匯。在台灣，可以選擇自己喜歡的香菇來用。

2. 將洋蔥切絲、番茄切絲，辣椒切段之後，再橫剖切開。

3. 在小鍋中加水蓋過香菇，加水煮滾三至五分鐘，再加入洋蔥絲、番茄絲、辣椒一起煮三分鐘。

4. 加鹽調味。

5. 加入起司絲,大約一巴掌的量,煮到起士絲融化即可關火上桌。

太辣小秘方

如果太辣時,可含著牛奶或優格,這兩種飲料因為其中有蛋白質,去辣效果不錯。

辣椒醬新吃法

這次我們在不丹嚐試了兩種辣椒的新吃法,覺得還不錯,如果大家想要試試看不丹
風情,又喜歡古怪美食的話,不妨也吃吃看。

1. 在烤過的吐司上塗上奶油、蜂蜜及辣椒醬,這三者都是不丹的特產,吃起來又甜
   又鹹又辣,出乎意料的,還滿好吃的。

2. 不丹水果不多,但是幾乎從西到東,都有香蕉。不丹的香蕉比較硬,我試著將香
   蕉沾點辣椒醬吃,沒想到口感居然也不錯。

超嚇人靈異事件

· 通新拉國家公園辦公處，拜會新任處長
· 傍晚到本塘的蓮師修行留影處參禮，
　此處有蓮師倒種樹木的樹，以及廣大的大殿
· 到鄰近的山上取得蓮師的聖水

前兩天都停留在蒙卡參訪，位於不丹東部的蒙卡是此次行程的折返點，今天我們將開始回程之旅，由不丹東部的蒙加往西，返回不丹中部的本塘（Bumthang）。

早上吃早餐時，室友用非常鎮定的神情，神祕兮兮的告訴大家，她昨晚遇見了一件很離奇的事。還說原本不想講，怕嚇到大家，但是她考慮很久還是講出來，因爲要怕也需要有人作伴……
大家瞪大了眼睛望著她還原當時情景──

場景一：室友倒帶事發現場

「*%@!&#*%@!&#*%@!&#*%@!&#」故事發生在一陣吵雜聲之後……

「昨晚睡到半夜，我突然被一陣很大聲而且很兇的罵人聲吵醒，我先還不敢輕舉妄動，想再仔細聽時，詭異的罵人聲已經沒有了。」「我能確定那是女人的聲音，但她在說些什麼，卻聽不出來，」室友很神祕的這麼說，「我心裡想不會吧？在快樂的國度居然還會遇上凶惡的阿飄！」「不過，通常有這種情形，會覺得從心底冷上來，還會覺得屋內磁場不對，也會有害怕的感覺，可是我觀察了一下，又都沒有這種感覺，難道是自己聽錯？於是我鼓起勇氣下床查看一下，但又看到同房的詠涵老師睡得可真香甜，應該沒聽到、也沒感應到。房間四處查看都沒異狀。」「沒想到在幸福的不丹真的很神奇，連遇到阿飄的感覺都不一樣，還是別亂想，趕快睡覺，有事明天再說……」室友倒吸了一口氣，如釋重負的說完了昨晚發生的事。

頓時大家都沉默了一下，當大家開始七嘴八舌的討論時，出現下列對話。

「我也想告訴你一件事，原本是不太想講的，昨天晚上我……」我的話還沒說完，室友就搶著說：「什麼！詠涵老師你也聽到了是不是？可是我明明看你睡得很熟呀！」室友一臉疑惑的看著我。

「是啦！我是有聽到，我也想還原一下當時的情形。」我面有難色的說道。

場景二：詠涵還原當時的遭遇

「*%@!&#*%@!&#*%@!&#*%@!&#」

不會吧，來這裡已經快樂了一個多星期了，怎麼會發生這種事情？真不敢相信，我現在是在幸福的不丹耶！

據說此地平時都是霧，根本看不到瀑布。但我們那天走到這裡奇蹟似的放晴，一照完相，這裡馬上就被雲霧封住了。

咦？室友起來了，別吵到她，趕快瞇著眼睛假裝睡覺。

室友晃來晃去不知道在做什麼，要是讓她知道，每天從早笑到晚的快樂行

程，而且要把不丹幸福快樂帶回去的我，竟然還發生壓力過大才會出現

的——說夢話罵人症狀，不被笑死才怪，趕快睡覺，就當做一切都沒有發生

過……

我一臉抱歉的把真相全說出來。說完之後，大家的表情應該很容易想像。

「人嚇人嚇死人好不好，為什麼要裝睡！」室友抱怨著。

「我哪知道你是被嚇醒的！」我委屈的接著說。

「當時我也很沮喪啊！不敢相信來到這裡竟然會說夢話，而且還是在罵

人！」

上圖為我們到佛殿後方山上去接蓮師聖水。
下圖的寺廟右後方最高之大樹為傳說中蓮師倒種而活的神樹。

事後想想，可能是因為蒙卡是此次行程的折返點，從今天開始，即將開始回程之旅，也就表示幸福之旅將進入倒數的日子，即將返回自己的都市叢林，於是還沒被察覺的情緒，由夢話中全表現出來了。還好這件事情有說開，讓我跟室友的心中壓力才有出口宣洩。

今天行程中，在通新拉國家公園辦公處拜會處長時，發現這裡草地上到處長著野生的洋甘菊，洋甘菊精油對於舒眠的效果很好，今天晚上就請您照顧，陪我入睡囉！

要說到驚喜事件，這一路上真的是不斷發生，今天去了本塘參訪蓮花生大師閉關修行的古傑寺（Kurje），古傑寺有好幾座大殿，當年蓮師在此修行的佛殿位於坡道上方，大門平常是鎖著的，鑰匙有專人保管。為了讓我們一圓親近蓮師的心願，領隊堪布特地為我們安排入內參觀，廟方還特地打開玻璃帷幕的門，讓我們能更清晰看到岩壁上一個深陷的蓮師打坐身形印記。

在這個佛殿的後方，我們看到一棵高大的古樹，這棵古樹則是蓮師為顯神威力倒種而活的樹。所謂地靈人傑，這裡是一個非常神奇，且能量很強的地方。

寺廟旁邊走一小段山路，有一個水質很好的山泉，這裡白天讓一般民眾取水，晚上才將水源接進工廠生產礦泉水。這麼好的泉水沒有被獨占，民眾反而有優先使用權，可見在不丹分享的概念是從上到下沒有分別的。我們也在此取了一些水，親手取水因心念不同，意義也就不同。

不過要提醒大家，礦泉水廠有過濾系統，所以可以安心飲用，而自取的水，可要經煮沸或是用濾膜過濾之後，才能安心飲用喔！

不丹的幸福配方之八

 精油　**放鬆舒眠複方精油**

甜淡安穩的香氛，能讓人心裡有一種甜甜的被呵護的感覺。

讓我們紛飛的思緒能真正沉靜止息，在香氛的撫慰下，如同孩提時母親輕撫著我們、呵護著守護著我們安眠到天明。

配方

★苦橙葉3滴

　　苦橙葉：沉靜的香味是神經系統的鎮靜劑，安撫焦慮、憤怒與恐懼。

★洋甘菊2滴

　　洋甘菊：甜淡的蘋果香氣能讓心靈平靜，能安撫、鎮靜、抗憂鬱。

★薰衣草2滴

　　薰衣草：如母親般的守護，幫助平衡中樞神經安定情緒，使身心處在和諧平衡狀態。

★安息香2滴

　　安息香：安撫神經系統，止息筋疲力盡的身心。

★岩蘭草1滴

　　岩蘭草：平衡中樞神經，號稱鎮靜精油，讓身心更貼近大地之母。

★若要調製成按摩油，基礎油可挑選現有或適合自己的基礎油，例如：橄欖油、甜杏仁油、荷荷芭油等。

使用方法

1. 複方精油3滴直接滴在面紙上，放入枕頭內，或直接滴在枕頭上做「紓壓舒眠」嗅吸。

Chamomile ©TANAKA Juuyoh 田中十洋子

2. 幫助睡眠的方法，請見第190頁基本睡姿以及入睡前的調身。

3. 100g食鹽中加入5滴「放鬆舒眠」純精油攪拌均勻，放入浴缸做放鬆舒眠泡澡。

可幫助舒緩的症狀

1. 精神壓力過大睡不好。

2. 旅行中認床。

3. 整晚噩夢。

4. 壓力大說夢話。

貼心提醒

其他注意事項請見第41頁。

在放大的中央山脈中
找尋香氛記憶

- 從本塘出發
- 中午趕到旺地吃飯
- 前往廷布途中，車子溫度過高不動了，
  在108座佛塔的觀景餐廳喝茶，等車子冷卻
- 終於一天內趕回廷布

結束了東部的行程，今天要由本塘到旺地再一路趕回廷布。

這是一個都在趕路的回程旅途，不但路途遙遠，而且整個行程都是山路，欣賞沿途熟悉的風景，順便回味一下剛來時的心情。剛來時雖然覺得一路風景都很新奇，可是又覺得帶著幾分說不上來的熟悉感，直到攝影大哥說「不丹就像放大的中央山脈」時，才恍然大悟原來熟悉感其來有自。一路沉浸於自己的世界，整天都不太想說話，這還讓同行黃會長擔心了一下，以為我暈車、身體不舒服，要不然為什麼今天那麼安靜，都沒聽到笑聲。

說到暈車才想到，我要是在以前，早就暈車暈到不行了，這一路上車子穿梭在群山間，高度忽高忽低，一會兒在山頂一會兒在谷底，彎彎曲曲的山路竟然都沒讓我暈車，其實真正的祕密武器是我用妙坐功的坐姿（請見第188

頁），讓我可以專心欣賞眼前的景物，根本不用擔心暈車這檔子的事，不過
這倒讓我想起一個跟暈車有關的香氛故事。

童年時外婆住在花蓮，回外婆家是一件辛苦的旅程，那時交通不便，都是天
未亮摸黑走一段小路到火車站，出發搭第一班火車，到蘇澳時大約是中午，
午餐後再轉公路局走蘇花公路到花蓮，一路搖晃到花蓮都傍晚了。因為每次
都是吃飽了就坐車，這對很會暈車的我是一大考驗。由於旅途總是在一車的
萬金油味道中一路暈到花蓮，因而長大後，就算是坐在家中或走在路上，只
要聞到萬金油的味道，我就開始暈車，萬金油的味道對我而言就等於暈車。
但是呢，我有一位酷愛萬金油的好友，沒事老愛搽萬金油，認識她時我們都
才二十幾歲，我無法理解一個年輕女孩為何會喜歡那個令人暈車的味道，看
她搽萬金油一副陶醉與滿足的樣子，而我聞到味道卻陷入暈車情境，了解後
才知道原來萬金油對她有非常特別的意義。

她說小時候常在曾祖母身上聞到萬金油的味道，所以她特別喜歡這個味道，
因為萬金油會讓她想起曾祖母對她的疼愛……

這讓我想到就像愛吃酒釀的人，聞到道地的酒釀香味時，就會想起在冷冷的
冬天，長輩為我們準備一碗熱騰騰的酒釀蛋，那種被關愛的感覺會讓人覺得
很幸福，在冬天，酒釀的香氣就等於溫暖的關愛。
而我也有一個屬於自己的祕密香氛，但是它卻無法複製，只有親自到花蓮才
聞得到。

花蓮有我很多童年的美好回憶，每當心情煩悶時就會很想去花蓮走走，想坐在海邊吹吹風，想到山裡深呼吸，在那裡，空氣中經常飄著一陣陣的花香，那是好幾種香氣混合的味道，我不曾在別的地方聞到過相同的味道，我對那股清香非常著迷，因為那香味能進入我的心中打開心房，我相信有一天我會把這樣的香味用精油調出來。

相信有很多人小時候會有一條心愛的被子或毛巾之類的東西，我們家女兒就有一條從小蓋到大的紅色被子，我們常有這樣的對話。「被子臭臭的要洗囉！」「才不是臭臭的，很香耶！你聞。」「嗯！好臭，快拿開，我要窒息了！」所以女兒最害怕放學回來看到心愛的「紅色被被」被偷偷拿去洗，她會說：「噯呦，我好不容易才弄回來的味道又被洗掉了，沒有味道今天晚上睡不著了啦！」「你確定你是睡著而不是被熏昏倒的？」

除了迷戀被子，她還迷戀媽媽身上的味道。從小到現在已經念了高中，她每天都要賴在我身上摟著我的脖子，像緝毒犬一樣的在我的脖子上猛吸猛聞，然後口中喃喃自語，「媽媽的味道好香好香。」「聞到這個味道好想睡覺喔！」「我喜歡媽媽的味道。」

因為我不搽香水，基於她對被子的品味，我都會很害怕我身上是不是有什麼怪味。女兒很小的時候就對我說過，「每個人身上都有不同的味道。」我很好奇的問她：「有聞過一模一樣的味道嗎？」她說：「只聞過類似的味道，沒有聞過完全相同的味道。」我更好奇，「那誰跟誰的味道是相似的？」結果是我跟我姊姊的味道相似，我媽媽跟我外婆的味道相似，但兩組人馬是完全不同類型的味道，這讓我覺得很有意思。

她還喜歡外公身上的味道，每次抱著外公時都會聞一下，外公會不好意思的說：「我身上有汗臭味。」但她總是回答：「不會呀！我覺得很香。」這常惹得外婆在旁邊偷笑，這令我不禁暗自擔心，我的天啊！女兒老是說我很香，那我身上到底是什麼味道？

味道很奇妙，當我們聞到一個對我們有意義的味道時，它會啟動腦海裡的搜尋引擎，從記憶庫中挖出一些珍藏的幸福回憶。所以當我們覺得心力不夠時，可以試試找尋屬於自己的幸福香氛，讓香氣分子啟動腦啡的分泌，讓自己沉浸於愉悅的幸福中，這是一個快速放鬆自己的捷徑。

當心中洋溢著幸福的愉悅時，負面能量自動會消失，根本不需耗用自己的能量辛苦的去對峙它。

不丹的幸福配方之九

 精油

動手調製自己專屬的旅行香氛

找尋自己喜愛的香氛，為自己調一款旅行個人專用精油。

推薦六種適合坐車使用的香氛，你也可以跟著我隨時享有旅行的樂趣，並且有著不丹的快樂風情。

配方

★薄荷

薄荷：嗅吸時清涼的味道可舒緩暈車引起的反胃感，透涼的感覺用於腹部，可舒緩胃脹引起的嘔吐感。

★薑

薑：舒緩胃部悶脹不適，減少嘔吐感，不喜歡其氣味的人可少量使用。

★薰衣草

薰衣草：芳香的氣味可以鎮靜安撫不適的情緒。

以上的精油為防暈車基本款，以下精油做為台灣與不丹的在地聯結。

★檜木

檜木：清新的芬多精讓人頭腦清晰、增強能量。

★檸檬香茅

檸檬香茅：清新的香味可舒緩空氣不流通的煩悶，消除引發暈車的氣味。

使用方法

1.從上述配方中挑出自己喜歡的味道，依自己設計的配方比例調出屬於自己的香氛。然後在滾珠瓶中放入調好的複方精油2滴，加入5cc基礎油旋緊瓶蓋後，將瓶身放在兩手掌中來回轉動1分鐘，使精油分子起協同作用，靜下心來告訴精油，

　　希望在旅途中得到它們的照顧，並且謝謝它們，這樣就可以使用囉。

　　建議可以用下列的方式使用：

2. 旅行用精油可滴在手帕，或裝在精油項鍊瓶中佩戴或做嗅吸。

3. 調成按摩油後可搽於胃部或太陽穴。

貼心提醒

妙坐功可防止長途坐車或搭機引起之腰痠背痛及下肢循環不良，坐姿良好不但不會

勞累還可愈坐愈健康，請參考妙坐功（請見第188頁）。

其他注意事項請見第41頁。

儉約的元素，
奢華的享受

不丹是一個非常有地方特色的國家，這裡人們穿著傳統服飾，而且所有的建築都很有傳統風格，在不丹眼睛看到的一切都很不丹，這點非常吸引人。

我很喜歡不丹的建築，他們會在窗櫺及牆壁彩繪得很漂亮，不管遠看近看色彩都很分明。而且他們用的色系有個好處，就是不管新舊看起來都非常的美，有些年代久遠的建築反而另有一番風味，不像一般現代的建築，外牆如果沒定期保養，就會常面臨老舊後看起來沒有價值的感覺，所以一直在幻想回家後要把房子內部彩繪一下，讓自己有如身處不丹的感覺也不錯，心想如果能在不丹的商店買到彩繪壁紙，讓觀光客買回家用貼的，這樣不知道該有多好。

這次行程大部分的旅館都只在房子的外觀有彩繪圖騰，但到行程快結束的某日，我們住宿的飯店連房間內都彩繪得很漂亮，就跟我想彩繪自己房間的

想法一樣，可是躺下去睡覺時，說不上來哪裡怪怪的，晚上迷迷糊糊醒來幾次，每次一睜開眼就看到美麗的彩繪，直覺的問自己：「我怎麼會睡在這裡？」

好不容易住進了最美麗的房間，反而讓我睡得最差。於是，第二天一起床就跟室友說，「我看還是打消彩繪臥室的念頭吧，因為整晚都沒法安心睡覺！」我指了指華麗的牆壁，又說，「我有一種整晚都睡在佛堂的感覺！」

昨天一早由不丹的東部一路趕回位於西方的首都廷布，趕了一天的山路，正當擔心我們的小車連續這樣操了兩個禮拜會不會有問題的同時，車子居然冒起了大量白煙，此時距離廷布還有一個半小時的車程，我們這些台灣來的人在這頭窮緊張，但司機依舊保持不丹人的從容不迫，先讓我們去喝點下午

茶，休息一下。果然我們人車都休息了一陣子之後，車子就恢復正常，順利到達了廷布。

經過昨天一天奔波，今天的行程非常輕鬆，主要是讓我們在廷布市區觀光。雖說我們來到不丹的第一天就已經到達廷布，但那兩三天忙著拜訪總理與官員，整天神經緊繃得不得了，接下來我們就一路往東長征，所以根本搞不太清楚廷布的街景是什麼樣子。

上午我們先去拜訪當地有名的藝術家後，就去郵局製作專屬郵票。不丹的郵票在集郵界是享有盛名的，他們出了很多很特別的郵票，例如：3D郵票、香味郵票、絲織品郵票、金屬郵票、有聲郵票等等，黃會長以洪啓嵩老師的畫作製作了一系列的專屬郵票，非常的漂亮。

在郵局對面有間商店有賣改良式的不丹女性國服旗拉，這種簡易版的旗拉是把原本兩件式的上衣變成一件方便穿著，裙子也把傳統該有卻很難摺的摺縫固定後，用裙鉤就可固定。但很可惜，裙子沒有我的尺寸，只能買改良式上衣配上傳統式旗拉的裙子，等回家後再好好研究一下怎麼穿。不丹的國服雖很美，但還真不容易穿，這一路上我們都很佩服不丹人可以穿著國服打球、射箭、種田，能文能武，真的是太厲害了。

午餐在高爾夫球場的餐廳用餐，老闆娘的廚藝精湛讓大家吃得好撐，黃社長跟同行的編輯對午餐的魚讚不絕口，編輯覺得享用這麼好的美食，一定要當面跟老闆娘稱讚一下。於是他專程跑去櫃台，感謝老闆娘的巧手廚藝。

編輯：「今天的魚真的是太好吃了啊！這道魚真的是第一流，沒話講！」

老闆娘笑著回答：「你說的第一流，只是指在不丹第一流吧？」因爲不丹不

產海鮮，這次我們吃遍不丹，幾乎餐桌上都沒有海產，就算偶爾有魚，口味也普通。

編輯：「不不不，你的魚就算以世界的標準來看，也是第一流的！」

老闆娘笑得非常開心。

可見老闆娘對自己的廚藝非常有信心，這讓我想到自己每次受到稱讚時，都會非常不自在，甚至覺得那不是我，我應該要學習以喜悅的心歡喜的接受才是。

午餐後告別了廷布，往帕羅前進。兩個多小時的車程到達帕羅之後，先去參觀了國家博物館，原本打算去有名的阿曼飯店喝下午茶享受一下在不丹樸實中的奢華，但是早上我們一行人上網查資料時剛好看到，原來大明星的婚禮是在烏瑪旅館（UMA Paro）舉辦的，所以臨時決定去烏瑪旅館體驗一下何謂低調中的奢華。

烏瑪旅館內部設計非常簡約，卻又很不丹。一行人喝完下午茶之後，飯店接待人員帶我們參觀內部設施，在閱覽室裡頭展覽著金氏紀錄裡世界上最大的一本書，然後參觀了客房，儘管客房裡面的陳設多採黑白兩色，可是窗戶上面的飾紋依舊非常不丹，而且，如此一來，框在傳統不丹式窗戶外的大片風景，就成為了房間最美的裝飾。

接著我們參觀烏瑪旅館的熱石浴房。熱石浴房是獨立的小木屋，小木屋的設計很巧妙，裡面的客人想要泡澡時，只要在小房間裡頭搖鈴，服務員就會把房間內、浴缸上方的小洞打開，再把在戶外爐台上以木柴加熱過的滾燙石頭

由牆上的小洞送入，讓石頭沿著木板斜坡一路滾入水中，非常好玩。

當時我就想，如果能在辛苦的爬完虎穴寺之後，來個熱石浴，就真的是太完美了。還沒到不丹前，我就曾在旅遊節目中看過不丹的露天熱石浴，而此行我們在首都廷布的民俗博物館，也看到正在興建的傳統熱石浴體驗區，但可惜這趟旅行行程很滿，無緣體驗不丹的熱石自然療法，就把期待放在下次囉！

熱石浴在不丹是很有名的民俗療法，對於肌肉及筋骨酸痛有極大的療效，很值得推廣，做法很簡單但是很耗時，要將大石頭放入火中燒烤約三小時，再把炙熱的石頭放入水中，使熱水保持一定的溫度，然後拿這個熱水來泡澡。一週固定泡上一次的話，身體會非常舒暢。

很多人都很好奇這石頭湯其中的奧秘，其實祕密就在於遠紅外線。石頭經過高溫後，會慢慢釋放遠紅外線，炙熱的石頭在水中不只是讓水溫變熱來溫暖身體而已，熱石釋放的遠紅外線能量，也能使身體的機能活化。因為遠紅外線具有十分強烈的滲透力，能深入皮膚和皮下組織，能讓分子內產生共振現象，促進血液循環，將原本滯留在體內妨害新陳代謝的老舊廢物清除乾淨，讓細胞活潑起來。

但是記得千萬別迷信高溫喔！水溫不超過四十度，泡約二十分鐘，效果最好。此外，不同的石頭蘊含的成分不同，釋放出的礦物質成分也不同，如果水中再加入當地具有療效的植物，例如艾草、檸檬草等等，那就是超完美的組合了。

有關不丹之三

知識 **不丹的宗教信仰**

以歷史的角度來看，佛教是如何成為不丹立國的重要基礎？

不丹最早的佛教寺院可以追溯到西元第七世紀。有一個故事是這麼說的，當年藏王松贊干布展現神通力，在一天之內建蓋了一〇八座寺院，其中兩座就在不丹。現在這兩座寺院依然存在，一座是帕羅的基秋拉康寺院，一座是本塘的蔣巴拉康寺院。

而在第八世紀時，由於本塘部落的首領遇到很多障礙，因而延請蓮花生大士造訪不丹，降伏當地的邪魔障礙，令其守護佛教，並向國王與百姓們宣說佛法，令佛教開始流傳。據說蓮師曾三次前來不丹，在不丹傳法，也在各地閉關，留下了很多聖跡身影。跟蓮師相關的最主要寺院包括了帕羅的虎穴寺與本塘的古杰寺院。

第九世紀時西藏的朗達瑪王禁佛、破壞寺院，西藏佛教因而進入黑暗期。很多僧侶逃離西藏，走避至南部的不丹避難，也把很多的藏傳佛教的義理帶來不丹。

西元十一世紀，由於西藏地區的格魯派勢力強大，造成竹巴噶舉教派的僧侶離開西藏來到不丹定居，並且在十二世紀時建立了不少竹巴噶舉的分支寺院。而在十三世紀到十六世紀時期，許多高僧從西藏的拉隆寺被請到不丹境內來弘法，因而竹巴噶舉的傳承在不丹蓬勃發展。

以上所說的教法的弘傳，多在不丹西部的帕羅、廷布與普那卡等地進行。而在一四五○年時，貝瑪寧巴誕生於不丹的本塘，他是蓮花生大師預言的五大伏藏師的第四位，他的教法甚至廣傳至西藏與錫金。由於他的駐錫地在不丹中東部，且是屬於寧瑪派，因而不丹東部多有寧瑪派的寺院。

十七世紀夏宗‧昂旺南嘉統一不丹（夏宗法王是竹巴噶舉派的傳承上師），藏傳佛教成為不丹的國教。夏宗圓寂前把權力下放，成立政教分治制度，政治方面交給第悉（Desi：一種官銜，政治的最高領導者），宗教的方面則交給傑堪布（一種職稱，宗教上的最高領導者）。十八、十九世紀之後，同樣延續這樣的制度，不丹因而成為一個教法穩定的國家。

不丹境內知名佛寺很多，其中有一座很有名的108座佛塔，能否介紹它的來源？

由首都廷布往西大約一小時的車程即到達著名的一○八座佛塔多丘拉（Dochula）。當時不丹跟印度邊境的民兵作亂，經過多年的交涉協調無效，為了邊境長久的安定，所以四世國王決定發起平定邊境的戰役，在最短的時間內以最少的傷亡取得勝利。為了紀念這個戰役的勝利，並且迴向給這個戰役傷亡的士兵跟雙方軍人，第四世國王的第一任皇后建立了這一○八座佛塔，因而又稱「凱旋佛塔」。這座佛塔位於海拔三千多公尺的高山上，佛塔附近的咖啡店，是觀看對面海拔七千多公尺高山雪景的最好地點。

本文內容由台灣不丹文化經濟協會黃紫婕會長提供

龍王與虎穴寺

今天是抵達不丹的第十二天，明天就要回台灣了，臨別前夕安排的行程是參禮海拔三千多公尺的虎穴寺，也是驗收體力、耐力與適應力的時刻。虎穴寺是到不丹必遊的聖地之一，整座寺廟的建築就像是鑲嵌在峭壁上，不論遠看近看都非常的壯觀。上山的山路難行，前段還可以靠騎馬上山，但後段單程約有八百個階梯，就要靠雙腿自己爬了。

記得國小的時候，有一次爸媽帶我們跟舅舅一起去遊樂園玩，我跟舅舅共騎一匹馬，那匹馬頭低低的一直走，整個頸部就像溜滑梯一樣，因為兩個人坐很擠，手又沒得抓，我一直覺得我都快從馬的脖子溜下去了，當時心裡非常的害怕，所以第一次騎馬的經驗非常不好，這次來不丹有騎馬的行程，心中就一直告訴自己，一定要利用這次的機會好好跟馬相處一下，把藏在心中多

年的恐懼感連根拔除。

非常幸運的，我分配到一匹有人牽著的小馬，所以不會覺得有太大的壓迫感，反而怕自己太重把馬壓垮。這裡的山路真的非常難走，路小，加上路面崎嶇不平，有些地方還落差很大，馬也是常常走走停停，有時馬要一鼓作氣往上衝，有時要小心翼翼往下走，比較好走的地方偏偏馬又喜歡靠著懸崖邊走，有時候路不好走，馬還會有打滑現象，剛開始心裡真的很怕，尤其很快的，我發現自己騎的這匹馬似乎沒什麼經驗，我想牠應該還在實習中，雖然不知道牠的名字，但是一路上我不斷輕撫著牠，謝謝牠也鼓勵牠，同時將自己放鬆，隨著馬的律動起伏，希望自己不要造成牠太大的負擔，很快的，我發現自己已經不再害怕了，終於能夠放下多年來的陰影，那種感覺說不上來，只能說很奇妙。

準備騎馬上山時，室友就一直說她想步行上山，但黃會長告訴她這一路非常難走，若是一開始就步行，等她到了要爬階梯的地方就會沒有體力上山，可憐的室友只能硬著頭皮，坐上一匹後來才知道會自己走不用人牽的馬，這對她來講真的是太恐怖了，一路上從她僵硬的身形跟她小小聲一直說：「我可不可以下來自己走呀！」就知道她已經害怕到了極點，但是也看得出來她非常努力的讓自己不要崩潰。等一群人摸清楚了馬的狀況後，就開始七嘴八舌的給她意見。

「放輕鬆！記得要人馬合一，跟著馬的律動前進。」

「我盡量試試看……」室友很努力的適應著馬匹的律動。

「現在是上坡，馬往上爬時身體要向前傾。」

「很好！很好！就這樣，加油喔！」

「現在是下坡身體要向後倒。」

「沒辦法！手太短倒不下去啦！」室友很努力的想要跟著馬走下坡時，找尋到最好的支撐位置。

「那你把手放在後面改扶著馬屁股。」

「我不要！那樣更恐怖好不好……」這時室友已經哭笑不得。

看到室友這麼害怕，卻又這麼努力的去完成這趟旅途，想想自己的害怕實在算不了什麼，室友的勇氣可嘉，我一定要把這份勇氣收集起來，帶回台灣跟大家分享。

這段騎馬上山的旅途，攝影大哥原想好好的拍些我穿著傳統服飾騎馬的照片，但上山才發現，在崎嶇的道路上想要用雙手拿相機真的很困難，沒想到敬業的攝影大哥還想在馬行進間回頭拍照，大家都很怕他會摔下來而一再勸阻，但即使如此，還是常聽到騎在前面的攝影大哥頭也不回的大聲問：「詠涵老師，我後面是你嗎？」「是啊！」「喀嚓！喀嚓！喀嚓！」

天啊！只見攝影大哥頭也不回的就把相機放在腋下，鏡頭對著我猛拍，這樣也能照！真的是有夠敬業的。

攝影大哥在這趟不丹之旅的敬業精神讓我好佩服，當然啦，他的這份敬業精神也是一定要收集起來的。

就在到達虎穴寺山門時，突然狂風大作並開始下小雨，下山時完全靠雙腿自己走，這時雨愈下愈大，讓下山的路不太好走，因為攝影大哥跟編輯先一步下山，他們不知道我們中途要在山上的小餐廳用餐，就一路快速的下山去了，但重點是司機跟我們在一起，他們也沒有車鑰匙，即使山下也無法上車躲雨，我們在中途用餐時雨下得最大，真擔心他們倆肚子餓，更擔心他們被雨淋濕會著涼。這時我不由得心裡不斷跟龍王祈請：「祈求龍王，別讓我的同伴及其他下山的遊客，還有滿天飛舞的小鳥淋濕，請在所有人都下山後再下雨好嗎？」

用完餐雨勢雖然小一點，但龍王依舊下他的雨，司機先生幫忙帶著打包的餐點跟我們一起出發，兩三下人就不見了。等我們快到山下時，雨才慢慢的停了下來，奇蹟似的兩位先下山的男士都沒被淋濕，而且在我們抵達前，就已

經把司機帶下山的餐點都吃完了，英勇的司機先生，我真佩服你的腳程，我真的懷疑你是用飛的。

回程中車才開動沒多久，就聽到黃會長喊著：「雪山！雪山！」接著大家就興奮的高喊著：「停車！停車！」

前天在回廷布途中，原想在一○八座佛塔旁的觀景餐廳喝茶欣賞雪山，只可惜一片霧濛濛，什麼也看不到，當時我心中不斷的祈請龍王把霧散去，「拜託龍王，就請您大手一揮，把雲往左邊推推右邊擠擠，讓我們看一下雪山嘛！」結果也沒用，反而下起超大的雨來，今天早上本來要先去高山尋找不

丹國花藍罌粟，聽說在那裡就可以看到雪山，但是因為現在不是開花期，

天候狀況也不佳而作罷，正想說明天就要回台灣了，這次與雪山眞的是無緣

了，沒想到旅程的最後壓軸，竟是見到美麗的雪山。

突然心頭一震，是剛剛那場雨把雲霧散去的，這是龍王給我們的離別禮物。

對不起，龍王是我誤會了，辛苦您了，您一定覺得這個女人還眞難纏，一直

吵著要看雪山，這幾天忙著清理雲霧已經夠忙的了，還在那邊吵著不要下

雨，不利用下雨把雲清走，怎麼能看得到雪山嘛！

謝謝龍王及龍族眷屬們，眞心的謝謝您們。

回程途中，雪山一路伴著我們。這場大雨驅散了雲霧，這才發現，原來整個

帕羅是個被雪山圍繞的山城，非常的美麗。

今天可是有史以來第一次騎那麼久的馬，爬那麼多的階梯，到了晚上兩腿內側好痠，走路都變得腳開開的姿勢真難看，睡覺前可要用點幫助代謝的檸檬香茅精油來按摩按摩雙腿才行。

說到騎馬，我想起一個跟馬兒有關的故事。

「風馬六翅」是楊丹仁波切為一匹馬取的名字。楊丹仁波切的弟子中，有一位師姐的先生非常喜歡馬，他們在香港還有屬於自己的賽馬，他們買的第一匹馬叫財寶天王，常常贏得比賽，但是因為先天上腿部比較不好所以讓牠退休了。

在準備買第二匹馬時，她請楊丹仁波切為馬兒取個好名字，希望這匹馬能夠跑得很快，所以仁波切就說：「叫牠『風馬六翅』吧！有著三對翅膀的馬，跑起來速度一定很快。」

因為名字一經註冊就不能更改了，這位師姐請仁波切身邊的喇嘛將名字寫在紙上讓她帶回去，她拿到紙條時心中有些疑惑，問喇嘛：「確定是這個名字嗎？」喇嘛回答：「沒有錯。」

第二年仁波切來台灣時，有一回在深坑白玉中心巧遇這位師姐，她告訴仁波切說：「這匹馬真的非常會跑，只是有一點怪怪的。」仁波切問：「怎麼樣怪怪的？」她說：「就跟牠的名字一樣，瘋瘋的。」然後就寫給仁波切看，「瘋馬六翅」。仁波切看了說：「那不是我取的名字，我取的是『風馬六翅』，是像風一樣，不是像發瘋一樣。」

當場大家都傻眼，然後笑成一團，寫錯字的喇嘛也覺得非常的抱歉，但是名字無法更改，只好將就了。

當我想把這個故事寫下來時，心想最好問過當事人的意願，很巧就在這一次仁波切要離台的前夕，又巧遇這位師姐，在取得她的同意後，這位師姐告訴我更多他們與馬兒的故事，這些故事讓我很感動。

她說會叫「瘋馬六翅」，也是一種註定的緣分吧！這匹馬買來時個性就跟傻大個一樣，賽馬時就跟瘋了似拚命的跑，雖然很會跑，但也很難掌控，就這樣弄傷了腳，所以讓牠提早退休了，別人家的馬不能跑後大多數探「人道處理」，但是他們全家無法接受，因為他們很愛這兩匹馬，所以選擇將馬送到澳洲的一處農場寄養，每個月支付馬的生活費給農場，讓馬兒可以每天生活在廣闊的草原上自由自在的玩耍，直到馬兒壽終正寢，這是一個很大的責任，因為馬的壽命很長，預估她的馬最起碼還有二十年的壽命。

目前她的兩匹馬都在這個農場裡，他們時常會專程去看這兩匹馬，她秀出手機裡最近去澳洲的照片，她說兒子一直要求把行程排在他的假期時間，因為他很想念這兩匹馬，相片中不管是主人或是馬兒，流露出的眼神讓人感動，這兩匹馬對他們來說，不是退休的員工，不是寄養的寵物，而是家人。

反觀現在的社會常常發生虐待動物、棄養寵物的情形，我們是不是能做到，在準備養牠們的時候再三考量清楚，一旦決定養牠們以後，就要不離不棄照顧牠們走完這一生？

有關不丹之四

 知識 不丹的動物

在不丹旅途中遇到烏鴉、犛牛、馬匹是很正常的事，如果幸運的話還會遇到不少野生動
物，我們這次收穫很豐富，在旅途中很幸運遇到了兩種不同品種的猴子家族，還看到神
話故事中的羚牛Takin及戴勝鳥Hoopoe，最特別的是在彎曲的山路中遇到一隻好可愛的小
熊，我們是在轉彎時突然看見小熊的，所以來不及慢慢接近，小熊也因突然看見我們有
點受到驚嚇，一溜煙的跑走了，我們想熊媽媽一定就在附近，還是不要讓牠誤以為我們
欺負牠的小寶貝才好。

這趟旅行一路上遇到的動物都很可愛，牠們對人類都很友善，也不害怕鏡頭，甚至面對
鏡頭時也超會擺姿勢的，有時還會定格讓你拍個夠，我覺得牠們説得上是動物明星。

神話故事中的羚牛Takin

到不丹的第一天，我們就去保護區看不丹神獸Takin，原本生活在海拔兩千到四千多公尺山區的羚牛又稱為六不像，根據學者研究，牠們的臉很像麋鹿，頭上的角跟長得很像水牛的角馬很像，背部像熊，尾巴扁平像羊，四肢短短像牛，後腿又很像非洲斑鬣狗。在此圈養的羚牛非常愛吃艾草，由於這裡到處都是野生艾草，所以經常見到不丹的導遊們隨手摘取艾草餵食羚牛，讓觀光客驚嘆不已。

吉祥的國鳥烏鴉

不丹到處可見的烏鴉是這裡的國鳥，也是吉祥的象徵，更被視為護法大黑天瑪哈嘎啦的化身，這裡的烏鴉不怕人，有時候還會直直的從正前方飛過來，同行的團員常困擾的說，都不知道到底要不要閃，因為迎面一大群烏鴉直衝而來，讓人覺得非閃不可，但是又擔心因為不閃還好，萬一烏鴉跟我們閃同一個方向，豈不正巧撞上？

但事實上這是多慮，因為我們在那邊從來沒見過烏鴉撞上人的事件，反倒因為在各地佛寺群飛的烏鴉，而感到心靈的平靜。

愛睡覺的小狗

我一直很怕狗，我很怕牠們會追我，更怕牠們會咬我，小時候很多人都教我可以假裝撿石頭，作勢要丟牠們來驅趕小狗，可是這招不但沒用，反而會讓狗發出低吼聲，然後就撲過來了。再加上我國小時有好幾次被大狼狗追的恐怖經驗，雖然狗主人都在最後關頭拉住抓狂的狗，但是那種恐怖的感覺，還是讓我嚇到腿軟，後來嚴重到，只要是狗，哪怕只是一隻吉娃娃，我都會很害怕。

但是生了女兒以後，每次遇到讓我腿軟的小狗時，我就只能盡保護的義務，再也沒有害怕的權利了，女人當了媽媽以後就必須進化，變成天不怕地不怕的神力女超人，也只有在當媽以後才能深刻體悟以前是怎麼折騰自己的父母的。

不過，怕狗的心理障礙，在不丹大大的改善。在不丹，就連平常最常見的小狗，都顯得特別可愛好玩。不丹的狗非常友善，見到人就先搖尾巴，更酷的是，還會露出笑容。白天到處可見睡成一片的小狗，在偏遠的路上，牠們甚至就直接躺在路中間睡覺，汽車駕駛都會小心的繞過，連喇叭都不會按，難怪牠們敢安心的睡覺。可是到了晚上，只要一隻狗開始吠叫，其他的狗就跟著加入開始叫，但我們研究了好幾個晚上，發現這些狗兒們其實也沒事，就是叫好玩的。在不丹跟狗相遇，對我個人來說是很特別的感覺，這讓一向怕狗的我，有史以來第一次感受到狗的可愛。

有關不丹之五

 不丹的國家幸福指數

請問當初訂立GNH的過程是什麼？

不丹的立國政策「GNH」（Gross National of Happiness），即「國家幸福指數」
（亦即「國家幸福總值」）是相對於GDP「國民生產毛額」而言的概念，所謂國民
幸福總值(GNH)是以人民幸福為基礎，用來衡量國家實力和進步的指數。它成為不
丹國家主要的發展理念和發展的最終目標。首先，我們要了解不丹的真實傳統文化
價值立基於慈悲、寬容與智慧之上。

在晤談的過程中首相表示，當第四任國王吉梅・辛格・旺楚克即位時，他問了自己
這個問題：「不丹發展的目標應該是什麼？我們必須要成就什麼？我們想讓不丹達
到什麼樣的最終狀態？」他想在其他已開發國家中尋找能夠追隨的榜樣，卻無所
獲。因為他發現許多先進國家雖然經濟繁榮，可是人民卻不快樂。而他自省：不丹
國王的責任應該要讓每個人民都幸福快樂，那到底怎樣才能幸福快樂呢？透過與智
囊和僧侶的討論，他們發現必須「找到平衡」，因此，GNH的重點就在於，讓人民
的精神心靈與物質同時得到平衡發展，同時增長。

GNH的具體實施項目有哪些？

在不丹，從最高的總理到國小的學生，每件事情都需要符合GNH的理念，而且往下
扎根，從教育著手，務求落實。比如他們會教導小學生愛護環境、民主選舉與互相
尊重；以社會與經濟方面而言，讓不丹社會講求合理公平、貧富差距縮小，教育也
力求平等，政府也保障人民的工作權、居住權，且醫療普及，讓人民無後顧之憂。

GNH有四個大項：公平合理而持續的社會經濟發展、維護和推動傳統文化、保護生態環境、良好的政府。這四者如同房子的四根支柱，不可偏廢。

受到佛教的影響，GNH的核心價值與利基在慈悲，而最終的目標則在追求精神與物質的平衡。

本文內容由台灣不丹文化經濟協會黃紫婕會長提供

PART 2

回家，是另一個幸福的開始

我一直很喜歡旅行，尤其是飛機離地的那一刻，

整個人的心也跟著飛揚起來。

這次去不丹，我要用渡假的心情，把不丹的快樂帶回台灣。

幸福微笑的祕密

從不丹回來後，
女兒說：「媽媽你在家變得比較會笑了，而且笑起來比較自然。」
同時我也發現自己的耐受度變大了，
看事情的方式也不太一樣了。

此行從不丹回來，感覺幸福的能量就像水中的漣漪，不斷地向外擴散，最直接影響的就是我的家人。

先生是一個非常孝順、愛家、無不良嗜好、認真工作的人，但是他真正吸引我的，卻是他的笑容，我喜歡看他笑，尤其是對著我甜甜的笑。

在外人看來那麼標準的先生，在家卻很愛生悶氣，他的悶氣常來自於遷怒，可能是工作不順，可能是回家路上有人不遵守交通規則，女兒小時候在聽我說童話故事時，每次講到七矮人中的「愛生氣」時她就會說：「跟爸爸一樣！」你就會知道他有多愛生氣了，他生悶氣時的標準動作就是不說話然後一臉「我在生氣」的樣子，但是你要是問他：

「你在生氣嗎？」

「沒有啊！」他總是這麼說。

「沒有為什麼要擺張臭臉。」

「我哪有！」

以前對他這樣的舉動覺得十分火大，他生氣時總是渾身帶刺的封閉自己，不知情的我老是問自己：「我又是哪裡惹到到他了？」弄得我情緒也很不好，總是覺得自己很委屈，然後我也開始生悶氣不想跟他說話，這幾年在工作的壓力下，只看到每天忙到焦頭爛額的他，完全看不到他的笑容，我曾經問他：

「你好久沒有笑容了，可不可以對我們笑一笑呢？」

他勉強擠出的笑容實在有夠公式化。

「你什麼時候可以真心的對我笑呢？」

「等我有錢的時候我會天天對著你笑。」

「你的意思是說，沒有錢就沒有了笑容嗎？」

「是的，因為笑不出來。」

「日子天天要過，快樂也是一天，不快樂也是一天，為什麼不選擇快樂過一天？」

「因為賺的錢根本不夠用，沒錢就是快樂不起來。」

「如果你覺得賺的錢無法維持家計很可憐，就應該知道沒錢已經夠可憐了，不應該再賠上我們的精神生活啊！快樂是錢買不到的。」

我是一個很注重精神生活的人，只要是錢買的到的都好解決，真正要關心在意的是錢買不到的東西，物質上我可以一無所有，就是無法接受精神上一無所有，我一直希望「夫妻同心其力斷金」，但是他一再給我的感受就是「貧賤夫妻百事哀」，為了讓自己精神上好過，我開始把他歸類在一起工作的

「同事」這樣才不會讓自己對婚姻失去信心，慢慢的我在家的笑容變的是很禮貌性的，只有在教課時才會有開心的笑容。

從不丹回來後，女兒說：「媽媽你在家變得比較會笑了，而且笑起來比較自然。」

同時我也發現自己的耐受度變大了，看事情的方式也不太一樣了，一時心血來潮就去問先生：

「你覺得要怎麼樣才會快樂。」

「會呼吸就很快樂。」他認真的回答。

我一時無法接受他的突然轉變，又追著問：

「那你覺得自己什麼時候才會笑。」

「能笑的時候就要趕快笑。」

「啊你不是說有錢才會快樂嗎？」

「沒有錢有沒有錢的快樂啊！」

「可是，你之前不是這麼說的呀！」

「以前小小不懂事。」他一臉笑容的望著我。就是這個笑容，消失很久也讓我期盼很久的笑容，我真心希望它永遠不要消失。

台灣人vs.不丹人

「世界上最快樂的窮國——不丹」，在報章雜誌上看到這個標題時，讓我像挖到寶藏般的興奮，因為在地球上真的有這麼一個地方，而且還是一個國家，它向全世界證明了窮困一樣可以很快樂。

還沒到不丹以前，不丹的快樂讓我非常好奇，我在想，不丹會是一個桃花源，還是香格里拉？或者它是一個無有諸苦，但受諸樂的極樂世界？

從小我就對賺錢及擁有財富不感興趣，我認為錢買不到我想要的幸福快樂，記得二十出頭的時候，有一天媽媽很沒輒的對我說：「我不曾見過像你這樣，那麼不愛賺錢的人！」

我說：「錢夠用就好，為什麼要賺那麼多錢，沒錢一樣可以很快樂呀！」

媽媽說：「等你一塊錢都沒有的時候，我看你快樂到哪裡去！」

從那時候起我就一直想要證明，快樂是建立在精神上，沒錢絕對可以很快樂的觀點。

這麼多年過去了，我所做過的工作以投資報酬率來算，絕對是負數，以金錢而論，我的專業技術並沒有為我帶來財富，但這些工作卻都讓我賺飽了人與人之間的情感，不過，讓我忘卻現實生活的時刻似乎很短暫，快樂往往只停留在授課的課堂上，等到回到現實生活，看著先生只為讓家人溫飽，忙到完全無個人生活品質，內心就會很心疼與自責，我會開始懷疑世界上真的有窮困，卻又很快樂的地方嗎？

來到不丹我才發現，不丹並不是我想像中的沒有紛爭、沒有痛苦、人們都不

會生氣的地方。比如，在飯店餐廳工作的年輕男服務生，因為家裡窮困必須千里迢迢，由最偏僻的東部鄉下來到首都賺錢養家，我們在那間飯店住了好幾天，他很細心的記住每個人的喜好，服務得非常好，雖然希望多賺些錢養家，可是在他眼中看不到想要索取小費的心思；這裡的長者他們一樣有身體痠痛不適的情形，他們的醫療體系雖然會照顧他們，但是醫生一樣會告訴他們「沒辦法，人老了就是會這樣」；這裡的仁波切們也常因為太過勞累，所以肝功能不太好；我們司機先生的婚姻來自一樁外遇……

我發現他們有感情的問題，他們有病痛，他們也希望多賺些錢，他們的生理結構，他們的需求，他們的生老病死跟七情六慾，都跟我們一樣，可是他們為什麼可以快樂而我們卻做不到呢？

我覺得原因有很多，但是最主要是他們的精神層面可以達到很大的滿足，讓他們相對的很知足，在精神上的滿足來自於每個人都有宗教信仰，這讓他們的心有所寄託，同時也約束他們不會去做惡業，每個人不分貧富貴賤，都能感受到平等之愛，讓他們有被重視與關愛的感覺，所有的人都相信與信任政府會照顧他們的生活，所謂「知足常樂」我想就是這個道理。

不丹的關鍵素材

我一直很喜歡旅行，尤其是坐飛機出國，我最喜歡飛機起飛時在跑道上往前衝的感覺，每當輪胎一離開地面，我的心情也會跟著飛揚起來。

長那麼大，經歷過的旅行也不少，卻沒有一次的旅行能讓我把旅程中的快樂帶回家複製，但是這次由不丹一路歡笑回來後，快樂的情緒卻持續不斷的發酵著，心境上也是不斷的進步著，這點讓我自己也很驚訝！

我想了很久，難道是其他的旅行都不好玩嗎？喔！絕對不是，那到底是什麼原因讓自己的收穫如此大呢？

是迷人的風景嗎？是清新的空氣嗎？還是友善的不丹人呢？我覺得都是，也都不是，不丹這個全世界都認定的快樂國度，整體散發出的幸福安定能量，確實讓人感受到了，但是這對於來此追尋幸福快樂的遊客，應該都是屬於外在的輔助力量，如果捨不得把快樂留在不丹，就該配合真正的關鍵點，由心的問題去解決，才能將不丹的幸福真正的帶回家。

我是一個天生就很喜歡照顧別人的人，但是我從來不照顧自己，每次出門我的心永遠是備戰狀態，我必須隨時提高警覺，我要求自己一定要在第一時間發覺需要被照顧的人，我無法接受自己錯過關鍵時刻，我的旅行快樂來自把大家照顧得很好，雖然身心都會好疲累，但是當時好快樂，只是這分快樂感永遠帶不回家，每次回家後，我的心就如同過了午夜十二點的灰姑娘，只剩下灰濛濛的一片，不是家庭的關係，是我必須面對最不願面對的自己。

每次的旅行，我都希望這趟的旅行能夠讓自己回來後煥然一新，所以一直想

辦法在路上拋棄那個令自己討厭的自己，再換一個全新的自己回來，但是沒有一次成功，可是那些旅行不是沒有意義，旅程中的我一樣收穫豐碩，一樣有新的體驗與覺受，旅行中的心情絕對是愉快的，只是我很討厭旅行回來後，覺得自己並沒有變成一個「全新的自己」，還是跟那個甩不開的舊自己黏在一起，旅程中的快樂，好像總是遺落在當地帶不回來。

不用猜都知道，我就是一個很討厭自己的人，從小到大我常常問自己，「我為什麼會是我？」「我為什麼不是別人？」「我為什麼要留在這裡？」「我活在這裡到底要做什麼？」「不知道！」「不知道！」「不知道！」問自己永遠沒答案，所以讓我更討厭自己，更想甩開她。

難道這次我真的成功的拋棄了那個令自己討厭的自己了嗎？

不！其實這次並沒有誰被拋棄，也沒有去換一個新的自己回來。

因為我發現，誰，都不可以被拋棄，尤其是「自己」。

這一次我沒有想要拋棄自己的念頭，我把她先帶回自己心中的家，重新安頓以後再帶著她一起去旅行。

第一次認真的面對自己；

第一次公平的對待自己；

第一次由拋棄轉為接納；

第一次不再害怕當自己；

第一次真心的喜歡自己；

第一次相信自己的能力。

這趟不丹幸福之旅，從開心，到相信。旅程結束的「相信自己可以做到」，卻是我自己另一個幸福旅程的開始。

不丹之旅在大塊文化董事長郝明義先生的一句叮嚀聲中展開：「詠涵，你可千萬不要去那裡工作，給自己一個假期，一個屬於自己的假期吧！」

「一個屬於自己的假期」這句話非常吸引我，因為我的內心從來沒有放過假，我一定要好好的放自己一次假，好好的享受「心放假」的感覺。

心放假了，但是心是浮動的，一不留神心就又會回到慣性，所以這次我就老老實實的把洪啟嵩老師教的方法拿出來用，讓自己在十四天的旅程中猶如在打禪一樣，時時觀照自己的心，心太緊就調鬆，太鬆就調緊，所有行住坐臥都盡量讓自己練習放鬆、放下、放空，不去擔心或自責自己做得好不好，就是不斷的讓心放下、放下、再放下。

我只是「把心放下」，就這麼簡單的方法，那麼多年來，這次才真正認真的去執行，沒想到收穫這麼大，我想是因為這一次我選擇相信自己，相信自己可以做到。

很多人常常很好奇的問我，植物可萃取有效成分，可以萃取精油，但是植物的「精神」能萃取嗎？「幸福」要如何調入配方呢？

我的答案是：「可以的，用慈悲的心萃取，再用無私的心調配。」心念愈安定，萃取出的能量愈純淨，調配出的配方力量愈大。

但是要如何能知道自己是否萃取出了植物的精神元素，如何能知道「幸福」已經調入配方中？

因為我是用我從小的「願望」來完成這件事，我希望自己有治療人心與人身的能力，我一直希望全人類身心都不生病，我希望把地球變成一個幸福快樂的國度，我用心念以許願方式調配與萃取著看不見的精神。

認識我的人都認為我看起來很平凡，但是卻很特別，會的東西又那麼多，設

計出來的配方好用又特別，其實只是把祝福用香氛包裝起來送給需要的人，當人們打開祝福的香氛時，我會從他們的笑容中知道，這分祝福他們已經收到了，只是往往後續的成效都出乎我的意料。

就如同我把這本書中一篇文章請完全不懂精油的人幫我試讀，我想，只要對方看得懂，那一般讀者就不成問題，他讀完文章抬起頭時，我在他的眼神中已經知道了結果，只是他接下來的話，讓我由驚訝轉為欣喜，他一臉疑惑的說：「當我看到配方時，我覺得我聞到了精油的香味。」我很驚訝他看到了我的祕密，我更欣喜我真的做到了。

以前我是一個從來不相信自己是有能力的人，現在的我要更努力的用自己的能力，去幫自己及需要幫助的人達到身心合一，希望能邀請更多的朋友一起為全人類，乃至於全地球謀求更大的幸福而努力。

我的生命啓蒙老師

老師教的「沒有敵者」，
讓我不再與自己爲敵，
讓我真心接納自己，相信自己，展現自己。

能夠在民國七十五年的時候就遇見洪啓嵩老師，說起來要感謝我的姊姊。姊姊自從上了洪老師的初級靜坐課後身心改變很大，一般人有任何好的覺受，最希望就是能跟家人分享，無奈當時她講什麼我都聽不下去，姊姊只好擅自作主幫我報名，然後跟我說：「我已經幫你報名初級靜坐班了，你只要上完四堂課，保證金五百元就可以退回來。」雖然當時是爲了五百元的保證金，但是很快的，我就開始慶幸當時有鼓勵全勤的保證金制度，因爲能夠上到洪老師親自教的課程，真的是一種福氣。

還記得上第一堂課時真的很不認真，回家也沒有做任何練習，但就在上第二堂課老師講到丹田呼吸時，我嚇了一大跳，心想，「我是什麼時候變成用腹部呼吸的，上星期明明還沒有這樣的嘛！」「我那麼混都有進步，要是認真一點效果一定會更好。」當時覺得老師教的方法既簡單又安全而且快速，只是那時後嘴巴還很硬，不願跟姊姊分享我的變化，四堂課上完了，保證金也

退回來了，我又被惰性牽回原來的生活，只是沒有想到這次的課程就像是在生命中種下了一顆種子，不管經過多久，時間到了它自然就發芽了。

民國七十九年時老師出了大車禍，在體無完膚的情形下，醫護人員問他：「洪先生，你是否會感到很痛苦？」他說：「我很痛，但並不苦，因為痛是生理反應，苦是心理反應……」

這句話對我的震撼很大，因為我一直在追求「心的自由」，可是我卻一直被心奴役與綑綁，我人好好的都管不住自己的心，在我眼前的老師身體正遭受常人無法忍耐的痛，我相信任何人傷到如此嚴重，就算沒有哀嚎，也一定會呻吟不止，但老師他竟然完全不吭一聲，而且他的心是如此的安定，當時的我對老師才真正的完全服氣，我覺得他已經超乎常人了。拿掉了自己這層傲慢心，增加了對師長的尊敬心，才發現自己的心也跟著進步了，我這才能夠靜下心來很認真的用老師教的方法每天靜坐。我覺得老師很偉大，連重傷時都還不斷的以身作則的教導我們，還好老師平安，我才有福報再繼續跟著老師的腳步前進。

這些年跟著老師在台灣及印度打禪，每次老師說的話總有幾句直接穿透我的內心，把捲曲緊繃的心一層一層的鬆開，讓自己每次都有一種又往上爬一層的感覺。

每當身心緊繃時，就想到老師說過「放鬆、放下、放空」。
每當惰心生起時，就想到老師說過「我們只要讓自己今天比昨天進步，明天又比今天進步就好」。

每當心不受約束胡思亂想時，就會想到老師說過要盯著這三隻心中的動物，「我們的心像三種動物，心猿(不安與躁動)、意馬(思緒像脫韁野馬)、心牛(到處偷吃草的心)。」

每當受到外境壓力所苦內心快抓狂時，就會想到老師說過「覺而不受，心做主」。

這些年老師不藏私的教導我們，也讓我將老師教過的一些功法，像是「妙定功的調身法」、「放鬆及睡夢禪法」、「開脈按摩法」……運用在我的教學工作上，老師更教我怎麼讓功法跟我設計的產品做結合，讓我的教學方式跟設計出來的產品有別於其他的人自成一格，也讓我的學生可以因此學到更多元及更有效的方法，這一切都要感謝洪老師讓我成為我自己。

與楊丹仁波切相遇的奇緣

民國七十九年，有一天早晨醒來以前做了一個夢，夢見一位長者帶著一群穿著紅色與黃色衣服的人……因為從來不曾見過這種服飾，所以覺得這個夢很奇怪，而且這個夢清楚到一直無法忘記，感覺很特別。

過沒幾天，我真的遇到穿著這種服裝的人出現在眼前，經過介紹才知道原來是藏傳佛教出家師父的服裝，既然真的有這種服裝，是不是代表著夢中的長者真有其人？從此在我內心偷偷的展開尋人之旅，接下來的幾個月參訪過貝諾法王、嘉初仁波切、瑪貢仁波切等好幾位年長的仁波切，但是發現都不是他們。

當時的結論就是趕快回到正常生活，一切都是夢境，別再胡思亂想。過沒多久，一位朋友跟我說，他的小表弟皮膚過敏得很嚴重，經過楊丹仁波切加持後就好轉了，他一直要帶我去看看，當時我一點興趣都沒有，因為我對我的皮膚問題已經不抱任何的希望，也不想再去尋找夢中人，所以回絕了他。

我的皮膚問題從我十二歲起就一直困擾我，從小我的皮膚就一直非常白皙，怎麼曬也曬不黑，但原本人人羨慕的白嫩肌膚過了十二歲後開始過敏，即使是多天早上七點鐘的陽光，照在身上也會如針刺如刀割。只要曬到太陽，臉上就會到處是紅斑，因為皮膚白，紅斑也就顯得明顯，見到我的人都跟見到鬼一樣，然後發出嫌惡的聲音。整隻手臂曬到太陽後奇癢無比，剛開始無法忍耐，都會抓到慘不忍睹，後來慢慢訓練自己，就算晚上睡著都不可以去抓，我原本就是一個自卑感很重的人，日光過敏讓我更自卑，甚至自暴自

棄，我一直認為我上輩子一定是壞人，而且是十惡不赦的大壞人，所以這輩子才見不得陽光，要受日光之苦，我已經這樣過了十五年擦什麼都沒用的日子，我不再相信有辦法可以醫好自己，所以我拒絕了朋友的好意。

但是沒多久之後，爸爸說要利用暑假帶全家回大陸探親，當時弟弟還在讀書，所以只能利用寒暑假出行，又因為冬天當地會下雪，所以只好利用暑假。我心裡想這下還得了，家鄉可是有名的三大火爐之一，夏天有四十度的高溫，這下我鐵定完蛋，就因為這樣，我只好拜託朋友帶我去見楊丹仁波切，因為那是我最後的一線希望，接下來一連串發生的事情，只有在神話故事中才會出現。我只能說，從此以後我真的完全好了，認識楊丹仁波切的人都知道，楊丹仁波切非常的謙虛與低調，楊丹仁波切不希望我將內容大刺刺的寫在書中，這部分只可以茶餘飯後留著說故事用。

在生理上楊丹仁波切給了我一個新的自己，在心理上仁波切一直給我如父如母般的愛，這分愛是我在設計配方時，其中一項很大的元素，每次帶著我的精油請楊丹仁波切加持時，仁波切會說：「因為你有發菩提心，是真正的想要幫助別人，所以我才幫你加持。」
可以重新站在陽光下曬太陽的感覺真的很好，所以每當有人問我：「為什麼不把臉上的曬斑處裡掉，別人看到你的斑，一定會懷疑你的保養品研發能力。」
我會說：「我從來不覺得這些斑點礙眼，相反的，我覺得它們是我臉上最可愛的地方。」

皮膚白皙完全無斑點又曬不黑，對我來說，這種代價是恐怖的噩夢，現在這些斑點代表著我不用再害怕陽光了，我很感謝它們的出現。這就像是我們人生中種種的經歷，它或許沒有絕對的好與壞，就看你怎麼看待它。

這次由不丹回來後，與楊丹仁波切聊到不丹對教育的重視時，仁波切說他正為故鄉錫金的兒童教育感到憂心，因為錫金有很多孩子因為家庭窮困而無法受教育，他很擔心錫金珍貴的傳統文化將無法傳承，他也希望我能將研發的技術帶到錫金，幫助當地的人民。

當洪老師知道仁波切希望在錫金籌建當地的希望小學時，都真心願意協助此事，這讓仁波切十分歡喜與感謝，仁波切給我這麼大的幫助，我希望自己也能為仁波切的家鄉盡點心力。

進入精油的芳香世界

我以天然香氛爲媒介，
因爲天然的植物有其與生俱有的生命能量，
植物香氣能讓大腦直接下令分泌腦啡，
不用再經過思考等重重的關卡，就能讓使用者快速產生愉悅放鬆感。

雖然我跟先生都非常喜歡花草植物，家裡也種了不少植物，但真正開始與植物及精油有心靈上的交流緣起於女兒。

1994年，第一次隨從洪老師到印度朝聖，回來後在年底生下女兒，就在懷孕的同時發現陽台花圃中的菩提子也發了芽，這棵小菩提樹與女兒幾乎是同步成長，生下女兒後我就把小菩提樹取名爲「妹妹菩提樹」。

記得女兒上幼稚園時，我說了一個樹精靈的故事給她聽：

「聽說小精靈最喜歡住在菩提樹上，小精靈身上帶著亮光所以都亮晶晶的，他們有著一對翅膀可以到處飛來飛去，他們長的跟人一樣只是太小了，我們看不到他們，如果我們沒有把菩提樹照顧好，他們就會搬家跑光光哦！」

「原來是這樣啊！我常常在菩提樹上看到很多閃過的小亮點，我以爲是蟲，本來還很害怕。」

「媽媽！那一定是小精靈對不對，哇啊！『妹妹菩提樹』上有住小精靈耶！

太棒了！」

「妹妹！你要答應媽媽，要好好照顧你的菩提樹，也要好好照顧自己的身體，這樣才能讓小精靈安心的住在這裡。」

「媽媽！我知道，我會愛我的『妹妹菩提樹』！」

女兒三歲時因對塵蟎過敏而引發氣喘，幾乎三天兩頭跑醫院。而每次氣喘發作時，醫生一定是用類固醇先救命要緊。

到了她九歲時，我覺得她的體型已經出現「滿月臉、水牛肩」了，這麼可愛的孩子，怎麼會變成這樣！在束手無策的情形下我決定放手一搏。那時候的我正好在研究精油的功效，憑著書中的知識跟自己的直覺，為女兒調了一瓶幫助肺部淨化的按摩油，到底有沒有效，當時真的沒有信心，只能說是用「死馬當活馬醫」的心態，同時安慰自己：不管有沒有效，幫孩子按摩，這種親蜜的安撫動作對孩子也很好啊！也同時讓孩子去學游泳，讓運動與精油按摩能相輔相成。

每晚再累都要提起精神幫孩子做放鬆按摩，同時也幫她準備了精油項鍊讓她帶著上學，孩子每天放學都跟我報告，今天班上誰發燒，誰咳嗽，誰又請假了，一學期下來發現她安然度過秋冬跟春天這兩次氣喘好發期，班上同學更以她為圓周，這一圈的孩子都沒有感冒，當時的我對於天然植物精油所帶來的能量氣場感到驚訝！

真的就跟童話故事一樣，從此她的氣喘就沒再發作過，我因此也開始使用精油，並且研究不同的配方。

隨著時間的增加，發現自己跟植物及精油有了另一種的心電感應與默契，我

不想去放大這個部分，我覺得只要放鬆自己，心念調細一點，每個人都能做到，我只希望用精油的香氛當媒介，幫助大家在舒適愉悅的狀態上，自然放鬆身心，常保健康。

身體一放鬆，心情就變好 ── 幫助身心放鬆的禪定心香

我一直有一種體驗，就是同樣的一個狀況發生，如果今天心情很好，耐受度就高，如果心情不好，就容易遷怒或借題發揮，「如何讓心安定」、「如何讓心情一直保持愉悅」、「如何提升耐受度」，這是我一直在追尋的目標。

我在找一個方法，一個沒有人會排斥的方法，它的條件必須是每一個人都能接受與喜歡的方式，它必須能跨越種族與宗教信仰的不同，它是一個能讓人敞開心房來接受的方法。

我以天然香氛為媒介，因為每個人都有自己喜愛的香氣植物，天然的植物有其與生俱有的生命能量，植物香氣能讓大腦直接下令分泌腦啡，不用再經過思考等重重的關卡，就能讓使用者快速產生愉悅放鬆感，以香氛臍帶的方式與大地之母做連結，讓人心回到最安穩的懷抱中，再配合正確有效的放鬆方法，就可以達到事半功倍的效果。

在眾多放鬆的方法中，我認為洪啓嵩老師所教的功法最簡單易學、效果最神速，也最安全好用，使用這些方法，不只身體各個器官都會放鬆，包含所有的細胞都會跟著一起放鬆，還有我們的心念也會一起放鬆、放下、放空。

在放鬆身心尚未成為習慣前，可運用香氛做為輔助。我們常常會遇到心力不

足，因而被惰心牽著走，再好的功法如果放著不用，任誰也無能為力。我把精油跟放鬆禪法做結合，讓它變成日常生活中的習慣，好習慣一旦養成，日後就會自然而然的使用，毫不費力。所以我們應該建立一個天然記憶香氛，讓這個香氛一直陪著自己做放鬆，遇到惰心現前時，只要聞到記憶香氛，大腦會自動下令，身體自己會去做放鬆重組的動作，當身心協調，惰心自然消失，當惰心愈來愈少出現，就表示心的能量愈來愈強，只要養成隨時放鬆、放下、放空的習慣，我們就有能力看清楚「痛」是生理反應，而「苦」是心理反應，不會再讓這兩種感覺混淆糾纏。

我們對「苦」的定義一旦不同，即使生活還是一陳不變，但是心境會變得不一樣，精神品質絕對會提升，我們就會找到勇往直前與面對難關的力量。

如果您一直苦於找不到好的方法來調整、提昇自己的身心，請您試試看書中所提供的「香氛練功房」，讓您開啓全新的人生。

快樂的第一法則

對立與衝突不是只存在於人與人之間，我們的細胞也常自己和自己打架。如何跟天地萬物及自身病痛友善相處，首先要與自己的心靈及全身細胞和平共處，當我們不跟自己的心，不跟癌細胞、不跟細菌、不跟病痛對峙時，您會發現天地萬物猶如自己，山岳如骨架，河流如血脈，連大地都會與我們一起深呼吸。

2003年，當SARS風暴席捲全球，洪啓嵩老師出版了一本著作，名爲《沒有敵者》，提醒人類和病毒和諧共處之道，乃至生命從心念、呼吸、氣脈、身體到外境的圓滿和諧，沒有分裂對立。我把「沒有敵者」這四個字，當做圓滿人生首先要學的第一堂課，所有的幸福快樂就從關鍵點，相信自己做的到「沒有敵者」開始。

這輩子經過這麼多的困境，如果我能感同身受的同理別人受苦的心，這樣生命中所經歷的一切，就成了人生旅程最莊嚴的寶蔓。現在的我人生目標就是當一個芳香的幸福領航員」，在所謂的人生苦海中，散播清心的芳香分子，讓迷航的船長們循著香氣，安全的停靠幸福港灣。

我希望藉由自己的授課專長，跟大家分享一個放諸四海皆準的法則，讓此法則融入每個人生命中，您會發現，人緣變好了，做事順利多了，即使只是倒一杯水，由您手中倒出來的水都變的格外的甜美。

以下要和大家分享的，是奇妙的「香氛練功房」。這個功法，是由洪啓嵩老師所創發的放鬆禪、妙定禪爲主體發展而出。

有幸隨學洪老師數十年，平凡如我的生命，能千折百轉走到今天，就是受用於洪老師所教我的禪法。我將洪老師的功法，結合精油的按摩，發現精油的效用更加深入不可思議。在洪老師慈悲允許下，將之附錄於本書，願與有緣的讀者共享邁向健康覺悟的喜悅！

意外的幸福之旅

這次不丹的幸福之旅，完全是一場人生中的意外。

2010年三月，我研發了一種結合茶渣的排毒精油配方，滿心歡喜地送到洪老師家供養老師。當時台灣不丹文化經濟協會黃紫婕會長，和大塊文化的郝明義董事長，正巧也在洪老師家喝茶。

黃會長獲得不丹總理授權，代表不丹參加2010台北花博。她認為，台灣和不丹這兩個國家，有著太多相似之處，如果能攜手同心，一定能夠成為轉動世界幸福的槓桿。

只是，要從那一點來切入呢？不丹和花博，怎麼聯結在一起呢？當時我在一旁教大家體驗茶渣精油的妙用，沒想到郝先生眼睛一亮：「那我們就來出一本不丹和植物精油相關的書吧！」他笑咪咪地望著我，拍板定案。五月，黃會長專程帶著本書的工作團隊：作者、攝影師、編輯等，一行人浩浩蕩蕩地出發了。

「詠涵啊！你這次去不丹，可不要再去工作了，用渡假的心情，把不丹的快樂帶回來。」臨行前，郝先生的叮嚀言猶在耳，讓我想起了以前的旅行的經驗。

我一直很喜歡旅行，尤其是飛機離地的那一刻，整個人的心也跟著飛揚起來。在每次的旅程中，我都期待能拋棄那個令人討厭的自己，換一個全新的自己回來。可惜，沒有一次成功，雖然每一次的旅行，成果都很豐碩，每次都有新的體驗，但是自己並沒有變成一個「全新的自己」，還是跟那個甩不開的舊自己黏在一起，旅程中的快樂，好像總是遺落在當地，帶不回來。

這一次，我不再拋棄自己了，我把她先帶回自己心中的家，重新安頓以後，再帶著她一起去旅行。這趟不丹幸福之旅，從開心到相信。旅程結束之後，「相信自己可以

做得到」，是生命另一個幸福旅程的開始。

感謝我生命中最重要的兩位導師—洪啓嵩老師及楊丹仁波切，這兩位大善知識，猶如慈父，在生命的旅途上，永不棄捨地教導我、守護我，走向圓滿的幸福覺悟。

感恩我親愛的家人，陪伴著我一路走來，他們向來是我不斷增長的動力。

感謝大塊文化郝先生及我的工作伙伴們，讓這本書圓滿呈現，

在此，也深深感謝我的好友黃紫婕會長，除了感謝，更獻上甚深的敬意。多年來，她以個人的努力，不懈地推展台灣與不丹之間的友好關係，不僅守護這塊蓮花生大士的聖地，也希望藉由不丹重視環保、家庭、傳統文化的「國家幸福力」精神，能幫助台灣乃至世界，開啓更美麗的願景。

此行沒有她的協助，就沒有這麼圓滿的結果。除了我們多年的情誼，她也認為這本書的出版，是台灣與不丹深度交流的里程碑，她特別呈請總理大人，安排我們與相關的研究單位會面，讓我們順利取回最道地的不丹香氛元素。

本次特別感謝台灣不丹文化經濟交流協會、中華山月國際特殊文化交流協會，及不丹農業部、傳統醫藥中心等各相關部會的協助，讓本書順利出版。

願以此書 獻給一切有情 健康覺悟 快樂慈悲

List for acknowledgement.
- Minister,Minister of Agriculture.
- Dasho Palden Y. Thinley.
- Dasho Karma Tsheirng,Dzong Maintenance Division,Tashichhodzong.
- Dasho Tashi Phuntsho,Cabinet Secretary.
- Punakha Dzongda.
- Mongar Dzongda.
- Chief and Staff,Production Unit,Institute of Traditional Medicine.
- Khenpo Dorji
- Director and staff,Bio Bhutan.
- Director and Staff,National Biodiversity Centre,Serbithang.
- Director and Staff,RNR RC Wengkhar,Mongar.
- Director and Staff,National Museum, Paro.
- Mr. Dorji Namgay,Chief Curator,Trongsa Museum.
- Mr. Namgay,General Manager,(Hotels) Bhutan Tourism Corporation.
- Dasho Dorji Wangchuk,Director,Folk Heritage Museum,Thimphu.
- Chief and Staff,Botanical Garden,Lampari.
- Manager and Staff,Thrumshingla National Park.
- Taiwan - Bhutan Culture and Economic Association
- Sunya International Special-Culture Interchange Association

附錄：禪定心香療法之香氛練功房

本功法由地球禪者洪啓嵩老師創發，並由龔詠涵老師加入香氛調理發展而成。 　　　　　繪圖／吳霈娟

基本功：妙坐功坐姿

平時的坐姿沒坐好，長期下來容易造成骨盆不正、脊椎側彎、椎間盤突出、駝背、胸部下垂、內臟受壓迫、肌肉緊繃、血液循環不良、人體老化……而正確的坐姿讓人久坐也不會感到疲累，因為舒適自在氣脈通暢，反而愈坐愈有精神。

平時每次坐下來就應該使用這種方法，此法非常適合久坐工作的族群，更有助於預防長途飛行引起之經濟艙症候群，自我按摩時的基本坐姿坐好，還可幫助精油發揮事半功倍的效果。

1. 輕鬆的站在椅子前，兩腳平行與肩同寬，腳尖、膝蓋、乳頭須在同一條直線上。

2. 先將右腳尖提起，以右腳跟為基點，胯骨為軸心，將整隻腳從足跟到大腿自然向內扣，左腳也相同，使雙腳呈現類似內八的狀態。

3. 慢慢彎腰，手扶著椅子，將臀部盡量往後推，讓臀部肌肉完全放鬆，慢慢坐到椅子上。

4. 臀部必須推到椅背與坐墊接縫處，上身再慢慢直立，背部、腰部放鬆靠貼著椅背。

5. 再將兩腳回正，讓腳尖、膝蓋、乳頭在同一條直線上。

6. 這時整個身體會自然放鬆和椅子柔軟的貼合。

貼心提醒：

如果椅子太高，腳下可加抱枕讓腳不會懸空。如果椅子太大，臀部無法坐到底，可加一抱枕作為靠背。

隨時提醒自己肩膀放下來，肩胛骨放下來，放鬆收下巴。

坐著按摩時請參考妙坐功，如需躺著時，請參考妙睡功（請見第190頁）來調整身形。

基本功
妙坐功坐姿

基本功：睡姿

良好的睡姿會讓人愈睡愈健康，不僅可以有效地改善睡眠品質，更有增強腦神經的功能，並且可以改善腦部的循環，讓我們輕鬆入眠，徹底休息。

練習的床最好不要太軟，以不會陷下去爲原則，通常以木板床、榻榻米的效果爲佳。

入睡前的調身（參考自妙睡功法）：

我們放鬆地仰躺著，雙腿併攏，腳掌沿著床板平移曲膝，並將臀部稍微提起再放下，幫助腰部平貼於床板。再將兩手於胸前交抱後再平展，幫助肩膀及肩胛骨放鬆平貼床面。

最後將頭部抬起再平放，幫助頭部和頸部平整。

雙腿慢慢放平讓腳尖、膝蓋、乳頭在同一條直線上，讓身線順暢，醒來時神清氣爽。

雙手張開，平放在與肩同高的兩側，此姿勢有助於肩胛骨的放鬆、平整。

再將手平放回身體兩側，就可安心睡覺。

四層分離按摩沐浴法

想像我們是大廚師透過四層分離的手法讓自己姿（色）、芳（香）、韻（味）俱全。做完這四層分離法的按摩，我們會發現被按摩的部位，循環明顯改善，膚色也明顯變白皙細嫩了。（方法參考自「妙定功——四層分離」。）

我們將身心完全放鬆、放下，想像自己的手像光一樣空靈，完全放鬆柔軟地貼住要按摩的部位。邊按摩全身邊觀想，身體每個部位都要做到四層分離。

第一層「庖丁解牛」：

首先想像我們所按摩的部位「骨與肉分離」。把骨頭和肌肉分開，將其中的緊張、糾結透過第一層分離法將之放鬆。

第二層「北京烤鴨」：

再來想像我們所按摩的部位「皮與肉分離」。把皮膚和肌肉分開，將其中的緊張、糾結透過第二層分離法將之放鬆。

第三層「東坡肉」：

接著想像我們所按摩的部位「肉與肉分離」。把肌肉一層一層之間分開，將其中的緊張、糾結，透過第三層分離法將之放鬆。

第四層「大骨湯」：

最後，想像我們所按摩的部位「骨頭與骨髓分離」。把骨頭和骨髓分開，將其中的緊張、糾結，透過第四層分離法將之放鬆。

基本功
睡姿

陽光心輪
嗅吸觀想法

幫助掃除心中陰霾的「陽光心輪」嗅吸觀想法

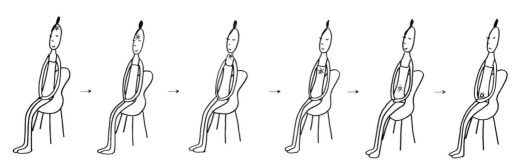

坐姿調好，讓心念像無雲的晴空般完全的清澈。先聞香後開始觀想：

想像頭頂正中心上方有顆像亮晶晶像指頭般大小的香氛寶珠。

寶珠像太陽般明亮，像水晶般透明、像彩虹般沒有實體。

將寶珠輕輕從頭頂正中心放下──安置在腦部的正中心。

由腦部的正中心輕輕放下──安置在喉嚨正中心。

由喉嚨的正中心輕輕放下──安置在胸部正中心。

由胸部的正中心輕輕放下──安置在腹部正中心。

由腹部的正中心輕輕放下──安置在下腹部正中心。

讓下腹部正中心完全放鬆、放下、放空，完全的自由自在。

接著開始邊嗅吸邊觀想：

用鼻子緩慢的吸氣，將香氛吸進心輪。

想像吸進金光閃閃如陽光般的金色能量香氛。

吸飽時慢慢的將心輪的廢氣由嘴裡吐出。

吐出時想像心中所有灰暗不好的濁氣、怨氣、病氣全部吐出。

數十個吐出的呼吸。

想像全身充滿金光閃閃陽光般的能量。

想像自己全身化成光，讓自己的光融入法界光明之中。

貼心提醒：

吸氣時將聞香瓶或手帕靠進鼻子嗅吸，吐氣時把瓶子移開。做完嗅吸後喝點水幫助體內做

代謝。時常練習很快就可以成爲陽光型的俊男美女。

釋放心中快樂能量的「心輪開脈」按摩法

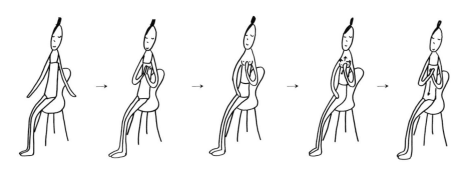

只要夠放鬆就可以深入心輪做按摩，讓糾結的氣脈有機會鬆開。

按摩基本功：

坐姿調好，肩膀放下來，肩胛骨放下來，放鬆收下巴。

把手臂放鬆想像手掌如陽光般溫暖、水晶般透明、彩虹般沒有實體，再把手掌搓熱。

開始按摩：

將滾珠瓶中的與龍翱翔按摩油輕柔的均勻塗抹於整個胸部及兩乳間的心輪處。

利用手掌魚際處，貼住心輪的地方，想像手與身體是黏在一起的，沒有分界。

手掌在心輪處做上下左右推開式的開脈按摩，千萬不可用手臂的力氣做強行推開。

用心念讓整個手掌愈推愈融入身體內。

用心念直到手掌能夠深入到身體的正中央，做上下左右推開式的開脈按摩。

此時將左手放在下，右手放在上，雙手交疊順心氣至丹田三次。

貼心提醒：

手掌魚際處在姆指基部較厚的隆起部位。

做完按摩後喝點水幫助體內做代謝。

時常練習很快就可以鬆開糾結的脈輪，讓人常保心情愉悅。

「胸部簡易放鬆」觀想法

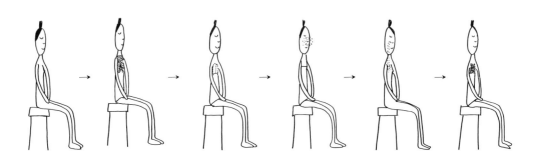

放鬆基本功：以妙坐功的姿勢調好身型，如需躺著時請參考妙睡功調好身型。

胸骨與肋骨像海綿一樣自然的鬆開來。

胸部的皮膚、肌肉與胸腔內的肌肉放鬆。

左右肺葉放鬆、放下，柔柔軟軟的像棉花一樣。

鼻腔由內到外鬆開來。

氣管、支氣管放鬆、放下。

所有的肺泡都放鬆開來，像珍珠般圓潤像，氣球般輕盈。

呼吸系統全部都放鬆了。

讓呼吸系統的壓力解除，使呼吸變得更深更順暢。

貼心提醒：

平時有空時就可常練習胸部的簡易放鬆。

習慣養成後肺活量會變大，也不容易胸悶。

做完放鬆喝點水幫助體內做代謝。

做完放鬆再做光明呼吸嗅吸及呼吸順暢按摩效果更好。

讓全身細胞一起深呼吸的「光明呼吸」嗅吸觀想法

坐姿調好，讓心念像無雲的晴空般完全的清澈。

邊嗅吸邊觀想：

鼻子由內而外完全的放鬆。

想像清新的香氛變成自在的光明。

光明自在的香氛歡喜的流向鼻子。

如絲綢般滑潤的香氛輕柔的流向肺部。

輕柔的香氛溫柔的滑過呼吸道的每個細胞。

所有呼吸道的細胞更明亮、更自在、更快樂。

所有的肺泡有如珍珠般圓潤，水晶般透明，彩虹般沒有實體。

每個肺泡都亮金金的在微笑著。

讓這光明自在的香氛像彩虹般從肺部溫柔的流向全身。

整個身體都跟著亮了起來，全身的細胞都一起呼吸著光明香氛。

光明香氛所經之處的細胞都快樂的微笑了起來。

數十個吐出的呼吸。

想像身體變成了明亮的鑽石光鍊，在人間散發著幸福快樂的光芒。

貼心提醒：

吸氣時將聞香瓶靠進鼻子嗅吸，吐氣時把瓶子移開。

平時吸氣時可觀想所有的肺泡吸滿清新光明之氣，吐氣時觀可想所有的肺泡把身體濁氣全部

吐乾淨。做完觀想喝點水幫助體內做代謝。

幫助肺泡呼吸的「呼吸順暢」按摩法

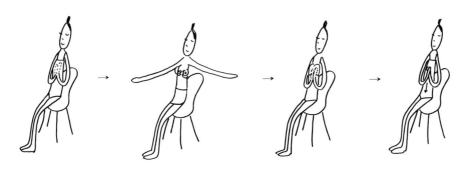

只要夠放鬆就可以觀想自己深入按摩到每個肺泡。

按摩基本功：

坐姿調好，肩膀放下來，肩胛骨放下來，放鬆收下巴。

把手臂放鬆想像手掌如陽光般溫暖、水晶般透明、彩虹般沒有實體，再把手掌搓熱。

開始按摩：

將滾珠瓶中的森呼吸按摩油輕柔的均勻塗抹於整個胸部。

按摩的手掌貼住胸部，想像手與身體是黏在一起的，沒有分界。

左右邊胸部分開按摩，手務必輕柔，左邊順時鐘方向，右邊逆時鐘方向，各按摩十下。

用心念讓整個手掌融入肺部，想像深入按摩到每個肺泡。

按摩完左手在下，右手在上，雙手交疊，順心氣至丹田三次。

貼心提醒：

時常按摩常保呼吸順暢，可增強呼吸系統功能，也有助於胸型完美。

做完按摩後喝點水幫助體內做代謝。

頭部的簡易放鬆觀想法

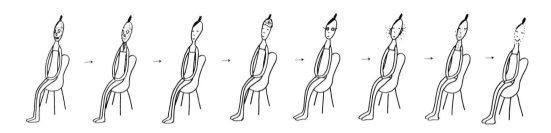

基本功：以妙坐功的姿勢調好身型，如須躺著時，請參考妙睡功調好身型。

邊嗅吸邊觀想：

1. 頭骨、臉骨、下顎骨像海綿一樣的完全放鬆。

2. 頸骨一節一節的鬆開。

3. 頭部的肌肉，臉部的肌肉，頸部的肌肉，無任何的壓力輕柔的放鬆開來。

4. 整個腦部的腦髓從內到外都徹底的放鬆開來。

5. 眼球從內到外完全的放鬆了，就像湛藍的海水一樣清澈明朗。

6. 耳朵從內到外，完全的鬆開了。

7. 鼻腔從內到外徹底的放鬆了，呼吸道舒暢又愉快，整個呼吸十分的通暢。

8. 口腔、舌頭、牙齒、喉嚨全部都放鬆了。

9. 整個頭部的壓力完全解除了，完全的放鬆了，臉部就像天真的孩子般自然的微笑著。

貼心提醒：

做完頭部放鬆後再做全腦開發嗅吸或腦部拉開放下按摩，效果更好 。

做完放鬆後喝點水幫助體內做代謝。

幫助腦細胞與宇宙能量做超連結的「全腦開發」嗅吸觀想

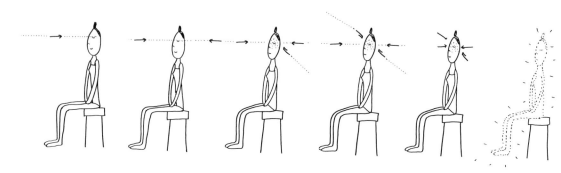

坐姿調好，讓心念像無雲的晴空般完全的清澈。

完全放鬆、放下後眼睛輕輕閉上。

邊嗅吸全腦覺醒複方精油邊觀想：

想像正「前」方無窮遠處有道如髮絲一般粗細的光束連到腦的正中心。

想像正「後」方無窮遠處有道如髮絲一般粗細的光束連到腦的正中心。

想像「左」方無窮遠處有道如髮絲一般粗細的光束聯連腦的正中心。

想像「右」方無窮遠處有道如髮絲一般粗細的光束聯連腦的正中心。

所有光束由無窮遠處慢慢消失，而腦的正中心慢慢愈來愈亮。

讓整個頭部融入光明中，讓整個身體也融入光明中。

緩緩數十個吐出的呼吸，眼睛再慢慢張開。

貼心提醒：

吸氣時將聞香瓶靠進鼻子嗅吸，吐氣時把瓶子移開。

做完嗅吸後喝點水幫助體內做代謝。

喚醒腦細胞的「腦部拉開放下」按摩法

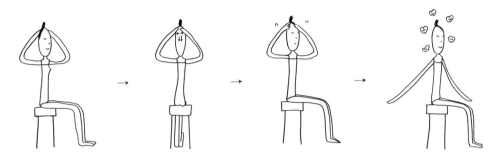

只要夠放鬆就可以藉由按摩，讓不同區域不同功能的腦細胞甦醒。

坐姿調好，肩膀放下來，肩胛骨放下來，放鬆收下巴。

把手臂放鬆想像手掌如陽光般溫暖、水晶般透明、彩虹般沒有實體，再把手掌搓熱。

開始按摩：

將滾珠瓶中的全腦覺醒複方精油按摩油輕柔的塗抹於頭皮。

想像雙手指腹如太陽般溫暖、水晶般透明、彩虹般沒有實體。

按摩的指腹貼住頭皮，想像手指與頭皮是黏在一起的，沒有分界。

讓整個指腹融入腦中，深入腦部做按摩，將整個頭部輕柔的按摩。

用兩手中指指腹，輕柔按住頭皮，向左右兩側輕柔的拉開，再輕柔的往下放。

把頭部的每個區塊都輕輕的拉開再輕輕放下，讓全腦都得到充分的放鬆。

最後再用雙手指腹將整個頭部做輕柔按摩。

想像所有的腦細胞都精神飽滿快樂的甦醒過來。

貼心提醒：

做完按摩後喝點水幫助體內做代謝。

時常按摩還可保持頭皮與頭髮的活力。

力道務必輕柔以免過度刺激，反而造成頭皮負擔。

不丹的幸福配方 / 龔詠涵著. -- 初版.
臺北市:大塊文化,2010.10　面;公分
ISBN 978-986-213-198-5(平裝)

1. 旅遊文學

740.9　　　　　　　98021559

2
0
0

LOCUS

LOCUS